G. DOREL-FÉRRÉ
F. PICOT
C. PICOT

Les chemins de l'histoire à l'école

HISTOIRE CYCLE 3

MAGNARD

*E*nseigner l'histoire au cycle 3

Depuis 1969, date à laquelle les instructions officielles qui géraient l'enseignement de l'histoire à l'école primaire ont été délaissées au profit des activités d'éveil, des transformations radicales sont intervenues révélant un paysage pédagogique totalement différent.

On est loin du temps où l'enseignement d'une histoire chronologique s'effectuait au cours préparatoire ! Il est désormais admis que dès la maternelle, la notion de temps est progressivement mise en place et qu'elle est un des éléments structurants de la personnalité de l'enfant.

À la fin du cycle 2, l'enfant a pris conscience du temps vécu à travers de multiples exercices appropriés. Les travaux sur le déroulement de la journée et de la semaine vécue par la classe ont permis d'élaborer des représentations qui sont autant de frises chronologiques, où se placent des durées plus ou moins longues, celles des demi-journées de classe, ponctuées par les récréations et séparées par le repas de midi.

Ces temps plus ou moins longs, ces moments, sont racontés en utilisant les prépositions et adverbes relatifs au temps : **avant**, **après**, qui expriment la succession, l'antériorité et la postériorité. En comparant la journée ainsi représentée et celle vécue, **dans le même temps**, par les parents des enfants de la classe, on met en évidence la notion de contemporanéité. En outre, les enfants ont été initiés au **témoignage** d'actions qui sont vécues par d'autres et dont on peut leur parler. Enfin, la célébration des anniversaires de camarades de la classe permet une première approche de la notion d'**événement**, fait marquant et circonscrit dans le temps qui pose un avant et un après et détermine un changement.

En cycle 2 également, la classe a eu l'occasion de faire des itinéraires dans le quartier en prenant conscience de l'espace qui environne son lieu de vie familier. L'élève a pu se rendre compte du fait que les constructions s'articulent suivant un ordre, qui est celui de leur édification. On repère ainsi, avec l'aide des témoignages locaux et éventuellement de l'intervention de l'enseignant, ce qui est **plus**

ancien, **plus récent**, ce qui date de la même époque, ce qui est le plus vieux. On peut, en classe, réaliser un diorama partiel, c'est-à-dire un tableau vertical en plusieurs plans où sont peints des figures, des paysages..., de ce que l'on a vu et signaler, par des couleurs différentes, les bâtiments observés pour mettre en évidence l'ordre de leur ancienneté.

L'enseignement de l'histoire, au cycle 3 s'appuie-t-il, par conséquent, sur les acquis du cycle 2 ?

Au cycle 2, beaucoup de choses sont mises en évidence et certaines ont même reçu un début d'explication. Par exemple, les élèves constatent, au travers de leur vie quotidienne, des éléments de changement, mais ils n'en ont pas approfondi la nature. L'enfant de C.E.1 aborde les notions de temps et de témoignage en interrogeant les adultes autour de lui. Son cadre de vie, tout ce qui fait son quotidien et son environnement ont-ils changé depuis que maman ou grand-maman étaient petites filles ? Ou encore, cette vieille dame qui a été invitée en classe pour raconter comment elle vivait, quel témoignage peut-elle leur apporter ?

Toute une série d'activités peuvent être mises en place : les jouets de Noël, aujourd'hui, au temps des parents, des grands-parents ; les ustensiles de cuisine de maman, aujourd'hui, quand elle était petite, quand sa maman était petite, etc. Ce sont autant de comparaisons que l'on peut matérialiser par des tableaux cartésiens où seront regroupées les informations. En racontant ce que l'on lit dans le tableau, dans le sens de la durée, on formule les conclusions en employant des prépositions plus nuancées : *pendant longtemps* (qui marque la longue durée), *depuis* (qui marque le changement rapide). De plus, le fonctionnement du tableau dans la contemporanéité, c'est-à-dire en verticale, nous permet de dire ce qui se passe *dans le même temps*.

Ce sera le rôle de l'année de C.E.2, dont l'originalité doit être sauvegardée, d'aller plus loin dans cette découverte du temps passé. L'élève dispose déjà d'un équipement intellectuel qui lui permet de raisonner, c'est-à-dire de formuler une hypothèse à la suite d'un constat et de projeter les moyens nécessaires à la solution.

Compte tenu de ses acquis, l'enfant qui entre en cycle 3 doit d'abord donner son épaisseur à un temps qu'il ne maîtrise pas encore, et à une notion qu'il n'a pas totalement explorée. Pour comprendre son environnement et son quotidien, il a besoin de plonger dans le passé, il a besoin d'entrevoir les temps courts et les temps longs à différentes échelles. Par ce moyen, il sera mis en présence de contrastes forts, ceux du passé par rapport au présent : l'Histoire, comme bien des pans de la connaissance se saisit par contraste, par opposition.

Pourquoi enseigner le passé lointain ?
Le passé proche ne suffit-il pas ?

Comme nous venons de le voir, le passé proche permet d'affiner la notion de temps, mais ne suffit pas à expliquer notre environnement et les caractères de la société dans laquelle nous vivons. Il nous manque l'épaisseur du temps, qui seule permet de mettre en place les notions de temps longs, de continuités, de césures, de paliers, etc.

Prenons un exemple tiré du quotidien de l'enfant. Quel sera son menu ce midi ? Ou, plus généralement, peut-on bâtir, avec les enfants de la classe, un menu-type de ce que les enfants mangent le plus ordinairement ? Admettons que celui-ci se compose de rondelles de saucisson et de tranches de tomate en entrée, d'un morceau de poulet avec des frites comme plat principal, de fromage, et enfin d'une banane en dessert. Les hommes qui vivaient au temps des grands chasseurs de la Préhistoire auraient-ils pu manger ce repas ? Et ceux de la Gaule romaine ? Et ceux qui vivaient au temps des rois ? etc.

Un va-et-vient entre les documents du manuel et les informations fournies par l'enseignant permet d'établir une rapide histoire de l'alimentation à travers le temps. Rappelons-en les grands traits.

Le mode de vie des grands chasseurs ne nous a laissé que peu de traces. Mais, on sait qu'ils pratiquaient le ramassage, la cueillette, la chasse et la pêche, qui sont devenus, aujourd'hui, des loisirs. La Gaule avait déjà de solides traditions de charcuterie et de laitages, bien que probablement différentes de celles qui sont les nôtres aujourd'hui. Les Grandes Découvertes sont à l'origine de l'introduction de plantes qui font désormais partie de nos habitudes les plus ordinaires : boissons telles que le café ou le chocolat, légumes tels que la tomate, le poivron, les haricots, et bien sûr, la pomme de terre. Cette étude diachronique a par conséquent le mérite de nous faire appréhender les notions de diffusion ou d'extinction de modes alimentaires. À partir du XIXe siècle, la révolution de transports permet la spécialisation des campagnes et l'expédition lointaine de produits frais et fragiles grâce, en particulier, à l'invention des compartiments frigorifiques des bateaux et des trains. Cependant la généralisation de cette mondialisation des produits alimentaires en dépit des saisons, longtemps apanage des classes les plus favorisées, se réalisera seulement après la Seconde Guerre mondiale. On peut alors insister sur la relation entre progrès technique et alimentation.

Tout cela doit être traduit sur une frise chronologique, ou plutôt sur des frises à différentes échelles, pour éviter les manipulations inutiles et pour aider à une prise de conscience plus rapide de la notion de temps.

Il est clair que nous avons besoin de cartes à différentes échelles pour travailler en géographie. De la même façon, nous avons besoin de frises à différentes échelles. Elles ne représentent pas les mêmes choses, mais toutes concourent à situer les informations dont nous avons besoin sur la ligne du temps.

Des exercices tel celui que nous avons décrit plus haut nous a fait valoriser deux formes de représentations, qui sont les outils essentiels de la classe d'histoire : **le tableau à double entrée et la frise**. Ce sont les supports de notre raisonnement. Ils induisent une démarche spécifique, le va-et-vient passé/présent, par lequel se construit, progressivement, la notion de temps.

Mais ceci ne nous éloigne-t-il pas d'un enseignement chronologique et constitué auquel l'histoire, dite traditionnelle, nous avait habitués ?

Indépendamment de ses présupposés idéologiques, l'histoire traditionnelle correspond à un état du savoir, celui, grosso modo de la fin du XIXe siècle. Aujourd'hui, la connaissance historique a beaucoup progressé. Compte tenu des nombreuses découvertes faites ces dernières années, il ne viendrait à personne l'idée de représenter les groupes d'hommes qui ont peint Lascaux ou la grotte Cosquer comme des animaux un peu évolués, tels qui sont représentés à l'entrée des grottes des Eyzies. Les Gaulois ne sont pas les sauvages sympathiques mais mal élevés de nos anciens manuels Lavisse. Là encore, les travaux des historiens et des archéologues font état de peuples évolués, excellents métallurgistes, en relation culturelle et commerciale avec les Grecs et les Etrusques, auxquels ils ont emprunté, semble-t-il, une bonne partie de leurs habitudes somptuaires.

En fait toutes les périodes de l'histoire se sont enrichies, jusqu'au XIXe si sous-estimé dans nos manuels traditionnels, et dont on reconnaît, depuis que le Musée d'Orsay le proclame bien haut, la diversité et la créativité.

Dès les années 1920 et 1930, l'histoire événementielle avait fait place à des recherches beaucoup plus riches qui, sous l'égide de Marc Bloch et de Lucien Febvre, renouvelaient les méthodes et les contenus en créant la fameuse Ecole des Annales, de renommée mondiale.

Pour reprendre l'expression de Marc Bloch dans son *Apologie pour l'histoire ou métier d'historien*, « l'historien est comme l'ogre de la légende, il flaire partout où il sent la chair humaine ». Tout est domaine de l'historien. À sa suite, Fernand Braudel montrait que les moindres structures du quotidien font partie de l'histoire, même si les témoignages qui en subsistent sont ténus et difficiles à interpréter. D'une façon magistrale, dans *Civilisation matérielle, économie et capitalisme*, il a montré l'impact, sur les sociétés, de leur mode d'alimentation à partir du blé, du riz et du maïs, dont les contraintes de culture influent sur les organisations, sur les structures et sur les habitudes culturelles. Il a mis en évidence les modifications introduites par les nouveaux produits alimentaires tels que le café, le thé, le chocolat, le sucre.

Un autre historien, Georges Duby, a également apporté une contribution essentielle à notre discipline, non seulement par ses recherches novatrices, puisqu'il a tout exploré de la période médiévale, depuis l'histoire économique et sociale jusqu'à l'histoire des mentalités. Nous devons à Georges Duby des synthèses admirables sur le Moyen Age, mais aussi les premières tentatives de reconstitutions historiques, avec la série télévisée *L'An Mil*. Il en témoigne dans son récit autobiographique *Et l'histoire continue* où il rend compte de son cheminement d'historien, de sa problématique, des limites qu'il a pu rencontrer dans ses projets. Il raconte ainsi comment il a renoncé à faire une reconstitution télévisée de la bataille de Bouvines, à la suite de l'étude qu'il avait consacrée à l'événement. Trop de détails lui manquaient pour faire œuvre d'historien.

Les débats des historiens doivent-ils entrer à l'école primaire ?

Aujourd'hui, effectivement, l'intérêt se porte sur l'histoire politique et culturelle, peut-être au détriment de l'histoire économique et sociale. C'est une évolution normale, car l'histoire n'est pas un donné, c'est un construit révisable à tout moment, compte tenu de la recherche scientifique et ses progrès. Les centres d'intérêt des chercheurs évoluent et progressent. D'autres domaines d'études apparaissent également. Ainsi, le patrimoine industriel, nouveau terrain d'études pour la recherche, dont l'intérêt est apparu lorsque les désindustrialisations massives ont failli emporter sous les coups des bulldozers des pans entiers de ce qui avait été le cadre de vie de milliers de gens.

D'un autre côté, nous disposons d'instructions officielles et de programmes pour le cycle 3. Le vœu de la société, transmis par le ministère, est que les enfants de l'école primaire disposent de repères organisés sur l'histoire de France. C'est là qu'effectivement réside la difficulté de notre enseignement : partis des contraintes de la psychopédagogie, nous rencontrons, au cycle 3, la commande sociale, dont les objectifs pourraient ne pas être en phase avec l'évolution de l'enfant. Cependant, une latitude réelle a été laissée à l'enseignant afin de ménager au mieux le passage d'activités notionnelles à des activités disciplinaires.

Il convient, en premier lieu, de ne retenir de l'histoire en construction par les spécialistes que ce qui correspond aux centres d'intérêt de l'école primaire. D'où la prédilection pour les faits de société plutôt que pour les faits événementiels dont la compréhension dépasse les possibilités d'un enfant de cycle 3. Par contre, la mise en perspective constante de l'environnement de l'enfant, grâce à l'Histoire, nous permet d'atteindre un de nos objectifs majeurs : celui de l'éducation progressive du futur citoyen.

En conclusion, si la commande sociale ne peut être ignorée, les contenus de l'enseignement à l'école primaire sont avant tout fonction de leur pertinence pédagogique. Les conditions de la vie quotidienne et en particulier le logement selon les catégories sociales, l'environnement rural et urbain, les moyens de transport, les activités productives constituent, par conséquent, l'essentiel des contenus.

Le métier d'historien est-il transférable à l'école ?

Non. C'est un abus que de l'affirmer, et c'est pédagogiquement impossible car l'historien travaille à partir de repères établis, d'un bagage scientifique, alors que l'enfant doit se constituer ses propres repères et organiser son savoir. Par contre, quelques-unes des méthodes de l'historien nous sont utiles comme la lecture du document et le récit. Voyons les caractères spécifiques de l'un et de l'autre.

Une des conclusions de notre plongée dans le passé, c'est que nous avons dû avoir recours à des témoignages qu'aucune personne vivante ne pouvait garantir : **les documents.** Ceux-ci sont de nature variée, et il n'entre pas dans notre propos d'en faire une analyse exhaustive. On peut dire que tout est document pour l'historien, dans la mesure où il s'agit de traces laissées par les collectivités humaines, rigoureusement identifiées dans l'espace et dans le temps. L'historien soumet le document à une rigoureuse critique interne et externe qui n'est pas du ressort de l'école primaire. Pour elle, il suffira que nous disposions de documents déjà identifiés et validés par les spécialistes. Ils seront, pour des raisons évidentes, essentiellement iconographiques, parfois écrits, plus rarement sous forme de statistiques. Pour être pédagogiques, ils devront en outre présenter des qualités informatives suffisamment abondantes pour qu'une véritable lecture puisse s'exercer. Aussi le document pédagogique est-il un cas particulier du document historique. Il est le résultat d'une sélection rigoureuse et représentative mais il ne peut pas pour autant informer à lui seul sur une situation donnée. C'est toujours un petit nombre de documents qui en rend compte, même si l'un d'eux est privilégié pour une étude plus approfondie. En effet, un document unique risquerait d'induire le stéréotype alors que l'ensemble documentaire introduit automatiquement la nuance et la pluralité.

Au terme d'une étude de documents, l'historien, comme l'élève, a besoin de rassembler ses observations par un texte. C'est le **récit** qui, parfois, prend le pas sur le support qui l'a suscité et connaît alors une vie propre. Le récit est un acte pédagogique irremplaçable, soit qu'il émane de l'enseignant qui fournit ainsi une synthèse personnelle sur une période, un fait de civilisation, soit qu'il émane de l'élève, qui produit ainsi de l'Histoire, à sa modeste mesure. Le travail sur document, l'élaboration de synthèses développent des facultés intellectuelles qui reposent sur la notion de temps, rendue moins abstraite et enrichie des expériences successives des sociétés étudiées.

Quel est le rôle du milieu pour la constitution des repères chez l'enfant ?

Il a été fait allusion de l'usage qui peut être fait du milieu au cycle 2, pour une première organisation chronologique de l'espace familier. Mais à côté de cette démarche, il est évident que tout ce qui est de l'ordre de la découverte des ressources patrimoniales directement observées lors de déplacements scolaires est utile pour créer des repères : musées, monuments, paysages urbains ou industriels, etc.

Le bénéfice pédagogique d'une telle démarche est connu : rien ne remplace le contact avec le document vrai. La sortie pédagogique permet d'autre part la mise en place d'une démarche très complète qui va de l'observation directe à la formulation d'hypothèses et à la vérification de celles-ci grâce au manuel. Une synthèse est élaborée en finale.

Faut-il sensibiliser l'élève à l'Histoire par la lecture et la télévision ?

S'il est vrai que les enfants n'ont pas de repères historiques, ils ne sont pas pour autant dépourvus de sollicitations de toutes sortes. La télévision et maintenant les multimédias les bombardent quotidiennement d'images plus ou moins fugaces, plus ou moins allusives, qui donnent une impression de connaissance, alors qu'ils sont, dans le meilleur des cas, les destinataires d'une foule de contenus inorganisés. Il est donc nécessaire de faire le tri.

Un premier ensemble de productions consommées par les enfants est constitué par les bandes dessinées. Parmi les plus célèbres : Astérix et Alix. La première est une distorsion amusante de la vérité historique, la seconde, au moins pour son volume *Alexandrie*, une reconstitution assez cohérente. L'une comme l'autre peuvent jouer un rôle de sensibilisation parce que l'imaginaire est une excellente entrée en matière pour l'Histoire, mais, bien entendu, elles ne permettent pas la constitution de savoirs. Elles peuvent éventuellement servir de contrôle, pour vérifier que l'on a bien perçu ce qui est valable du point de vue historique, et évaluer les capacités de critique des enfants qui ont, par ailleurs, déjà étudié la question. Les ouvrages de la littérature enfantine sont à mettre dans la même catégorie, à l'exception des ouvrages d'auteurs contemporains des situations qu'ils décrivent. Ainsi on peut faire appel aux écrivains du XIXᵉ siècle pour illustrer et faire comprendre la situation sociale et le monde du travail. Par exemple, *En Famille*, d'Hector Malot, décrit la vie dans une entreprise textile picarde, vers 1880. Les nombreux ouvrages documentaires publiés par diverses maisons d'édition peuvent être utilement employés lors de séances de travaux de groupes.

Un autre ensemble de productions relève des émissions de télévisions ou de films vidéos. C'est sans doute là qu'il faut être le plus vigilant car les anachronismes ne manquent pas, surtout lorsqu'il s'agit des films réalisés lors des années 1950. En effet, dans le cadre de la guerre froide, des films à grand spectacle présentaient des systèmes totalitaires, comme l'Empire romain ou l'Egypte des pharaons, asservissant des peuples ou des groupes qui luttaient pour leur liberté. L'allusion contemporaine est transparente ! Si la propagande y a trouvé son compte, l'Histoire, elle, en est sortie rarement indemne. Par la suite, cette veine a été exploitée, avec des tonalités différentes et en variant le scénario, jusque y compris pour la célébration du bicentenaire de 1789. Il est évident que tous ces films n'ont pas leur place en classe d'histoire. Signalons toutefois quelques rares films qui ont été faits avec le souci de la reconstitution la plus minutieuse et avec l'aide d'historiens patentés : l'irremplaçable *1788*, de M. Faillevic et J.D. de La Rochefoucault, *La prise de pouvoir par Louis XIV* de Roberto Rossellini, *Molière* d'Ariane Mnouchkine, *Germinal* de Claude Berri, et pour certaines scènes, le *Nom de la rose*, de Jean-Jacques Annaud, dont Georges Duby était le conseiller technique. En tout état de cause, on utilisera ce type de documentation, où l'anachronisme est toujours à pourchasser, avec la plus grande prudence.

Enfin, derniers venus, les multimédias, et en particulier les CD Rom peuvent servir de banques de données, utiles dans un travail complémentaire autonome qui en aucun cas ne remplace le travail préparé et guidé par l'enseignant.

Quel est alors le rôle du manuel ?
Comment est conçu
Une terre, des hommes ?

Le manuel est le minimum documentaire à la portée constante des élèves. Il sert de banque de données iconographiques et ses usages sont multiples. Il est le livre que l'on feuillette, dont on s'imprègne. Des moments de liberté peuvent même être dégagés pour regarder, tout simplement, le manuel d'histoire. Des exercices simples peuvent faciliter cet usage, en particulier au C.E.2, en offrant la possibilité à l'enfant de mieux connaître son livre par des itinéraires personnels : en réalisant de courtes diachronies, par exemple. Des parcours plus ambitieux peuvent être proposés au cours moyen. Quand on reste sur une page ouverte, il permet la réalisation d'une séquence pédagogique d'analyse de documents.

Le manuel est fonction de l'état de la science, et par conséquent son contenu a une valeur provisoire. Il contient des documents triés, choisis, validés et sélectionnés pour leur contenu, leur lisibilité et leur cohérence par rapport à l'époque concernée, avec le moins d'amplitude chronologique possible. Ainsi, on sera bien conscient du fait que le Moyen Age est surtout connu pour son iconographie des XIVe et XVe siècles et qu'il faut faire attention à ne pas illustrer des périodes antérieures, comme le XIe siècle avec des miniatures des *Riches Heures* du Duc de Berry.

Le manuel contient également des reconstitutions d'historien, en particulier quand il s'agit de prendre connaissance des résultats des fouilles archéologiques. Mais en aucun cas il ne contient des dessins d'imagination, avec des marges considérables d'interprétation tels que l'enseignement traditionnel nous y avait habitués. Le cours d'histoire se fait avec un matériau authentique et validé, qui permet le raisonnement historique et non le dérapage affabulatoire.

Pour aider l'enseignant à mener à bien sa démarche, dès l'instant qu'un travail de fond se fait sur le manuel, des cahiers d'exercices sont proposés. Ils rassemblent des questionnaires-guides et des tableaux à double entrée récapitulatifs. Au-delà de son aspect répétitif qui est une loi du genre, le cahier permet effectivement la construction du raisonnement historique. Enfin le manuel est le support du langage oral et le point de départ d'une importante production écrite.

Le manuel, réparti en quatorze chapitres, réunit un ensemble documentaire cohérent selon chaque période définie. Chaque chapitre commence par une double page d'ouverture qui donne la problématique générale, la tonalité du chapitre et une frise chronologique, où selon la période, on insiste davantage sur les faits de société, les faits culturels ou les faits politiques de grande portée.

En effet, quelles sont les dates qui sont à retenir à l'école primaire ? Dans la ligne logique que nous avons tracée, ce sont celles qui effectivement constituent des repères pédagogiques, celles qui déterminent un avant et un après. Un certain nombre sont des repères incontournables : -52, n'est pas l'année où la Gaule a basculé du monde celtique au monde romain, mais il est incontestable que la victoire de Jules César a créé une situation irréversible. Le Ve siècle, avec la pulvérisation de l'Empire romain d'Occident est également une charnière, dans toute sa durée. On peut préférer 406, lorsque les Germains passent le Rhin gelé pour se répandre en Gaule, ou 476, quand les Ostrogoths déposent le dernier empereur Romulus Augustule. Quoiqu'il en soit, le Ve siècle est celui du changement radical. Le manuel propose ainsi un certain nombre de dates qui répondent à cette définition. Par le fait, 1715 et la mort de Louis XIV n'est pas une césure : les changements qui s'opèrent n'ont rien de déterminant si ce n'est pour une minorité.

Un chapitre est composée d'un nombre inégal de leçons autour de documents iconographiques soigneusement triés et complétés par un petit texte et parfois par des documents écrits, quand ils sont à la portée des élèves de cours moyen. Dès que le texte ou les documents le suggèrent, les leçons ménagent des renvois à d'autres pages du manuel, ou à l'atlas en fin de volume, assurant ainsi un fonctionnement interne constant.

Le chapitre se conclut sur une double page présentant deux rubriques dont l'ambition est à la fois ludique et scientifique : la première, *Le coin du savant* met l'accent sur des faits majeurs de la période, dans le domaine des sciences et des techniques. Cet aspect de notre enseignement est très sous-estimé, malgré des recherches et des actions innovantes. Il est réintroduit ici sous forme de lectures amusantes.

La seconde rubrique, *La galerie des Ancêtres* retrace la vie de quelques personnages essentiels. Ces personnages de l'Histoire ont été soigneusement choisis, mais leur liste est loin d'être exhaustive. En effet, l'expérience de chaque individu, que ce soit celle des rois ou de Jacques Bonhomme, est éclairante pour comprendre le passé. La règle générale serait d'introduire à l'école primaire, parmi les personnalités marquantes, celles qui sont suffisamment représentatives et dont l'œuvre peut avoir une résonance à l'école. Les grands artistes et les grands hommes de lettres ont alors une place privilégiée, de même que certaines femmes, qui ont difficilement percé dans une société traditionnellement masculine.

Enfin, une dernière rubrique, sous forme d'un texte, *Maintenant tu sais que*, met un terme au chapitre. Ce n'est pas à proprement parler une leçon à apprendre, mais un geste de méthode. En effet, ces quelques lignes récapitulatives indiquent que l'on ne passe pas d'une période à une autre sans avoir fait le point.

Quelle répartition peut alors proposer pour chaque niveau ?

Compte tenu de la spécificité du C.E.2, comme on l'a vu plus haut, il est tout à fait déconseillé de partager le programme du cycle 3 en trois parties égales. L'enfant du C.E.2 doit d'abord parcourir la frise du temps. À travers des thèmes qui relèvent de ses centres d'intérêt, comme *Écrire au fil du temps*, ou encore *Se déplacer au fil du temps*, l'enfant doit prendre conscience du temps long afin que, tout en parcourant la chronologie, il soit mis en présence des périodes qui la structurent. Imaginerait-on que l'on initie l'enfant à la géographie sans lui présenter un planisphère, les mers et les continents ? Notre démarche relève du même souci. Ces parcours chronologiques étant faits, on peut alors faire de courtes plongées dans le passé, pour mieux se familiariser avec les périodes de l'histoire et les différencier. On a choisi à cet effet des documents lisibles, narratifs, en prise avec le quotidien, afin de solliciter la curiosité de l'enfant sans la décourager : cadre urbain et rural, activités de production clairement identifiables. Certains aspects du XIXᵉ et du XXᵉ siècles sont soulignés, en rapport avec le travail sur les générations. En fin d'année, deux autres diachronies permettent de consolider les acquis, et de manipuler la notion de temps.

Ce n'est qu'au cours moyen que l'on pourra diviser le programme en deux parties dans la mesure où, pendant ces deux années, les études synchroniques vont être privilégiées. Si précédemment on a surtout mis en évidence la notion de temps, ici on valorisera les mises en relations au sein d'un petit ensemble documentaire significatif. En début et en fin d'année, des promenades chronologiques permettent de lier le tout.

En début de C.M.1, une attention particulière est portée à la construction de la frise ; de même en fin de C.M.2, on réalise un travail récapitulatif de tout l'acquis du cycle. Les tableaux joints à la fin de cette partie introductive proposent des répartitions concrètes sur l'année, compte tenu de l'usage du manuel et du cahier d'histoire.

Quels sont les acquis d'un élève en fin de cycle des approfondissements ?

Avec tout ce qui précède, un élève qui entre en sixième dispose d'un certain bagage qui lui sera indispensable pour affronter d'autres situations d'enseignement et d'autres contenus. Sans maîtriser totalement la notion de temps dont on sait qu'elle ne se fixera qu'au moment de l'adolescence, l'enfant s'est familiarisé avec celle-ci. Il connaît **les grandes périodes** de l'Histoire et sait en quelques mots les caractériser. Il dispose de quelques **repères**, soit économiques et sociaux, soit culturels, soit événementiels, soit liés à des individus. Il a réfléchi sur **des situations diachroniques ou synchroniques**. Tout n'est peut-être pas parfaitement clair à son esprit, mais ce qui est le plus important, il a appris a raisonner sur des documents et à se poser des questions. Il aborde les documents du passé non comme un donné, mais comme un ensemble incomplet d'informations dont il faut extraire le sens.

Comme nous l'avons vu, l'Histoire naît à l'école primaire de préoccupations pédagogiques, mais chemin faisant, elle se donne un contenu, celui des expériences humaines accumulées le long des siècles. C'est sur ce contenu que les enfants sont conduits à s'interroger. Comme ils n'ont pas de repères établis, ils réfléchissent en prenant appui sur leur présent. Cette comparaison, ou cette relation constante entre **le passé et le présent** permet de structurer le temps par référence à ce que l'élève connaît. D'où l'importance de terminer le programme par le XXᵉ siècle, sous peine de voir disparaître toute logique à l'ensemble. On objectera la lourdeur des contenus à aborder, la séduction de certaines périodes plutôt que d'autres, en rapport avec le milieu. Cependant, rien n'interdit que l'enseignant fasse son propre itinéraire pédagogique : tout ne doit ni ne peut être traité de la même façon ni sur le même plan. On peut faire des choix. Il faut simplement veiller à ce que la continuité du discours soit assurée, qu'il n'y ait pas de grandes plages chronologiques totalement ignorées.

À terme, ce n'est pas seulement le passé dont l'enfant apprend à connaître la nature, c'est le présent qu'il apprend à mettre en perspective, à relativiser, à distancier. À ce point de la démarche, **l'Histoire rencontre l'Éducation civique**. Le présent de l'enfant n'est pas un absolu en soi ; *ceux qui l'entourent sont tous différents et pourtant tous semblables*, pour reprendre la belle expression d'une récente exposition du Musée de l'Homme. L'École accomplit alors sa mission, celle de la formation aux valeurs républicaines du respect d'autrui, de la tolérance et de la laïcité, auxquelles s'ajoutent les valeurs désormais urgentes de protection de l'environnement et du patrimoine que les enfants légueront, un jour, à leur tour.

1re année du cycle des approfondissements : C.E.2

• POUR METTRE EN PLACE LA CHRONOLOGIE DES PÉRIODES DE L'HISTOIRE

Des études diachroniques

	L'écriture au fil du temps : p. 2 à 5
	Se déplacer : p. 6 à 8
	Les périodes de l'histoire : p. 9

• ETUDE D'ÉLÉMENTS CARACTÉRISTIQUES DE CHAQUE PÉRIODE DE L'HISTOIRE

De la préhistoire à la fin des temps modernes

	Des chasseurs aux premiers paysans : p. 10
	Dans la ville gallo-romaine : p. 11
	Les paysans au Moyen Âge : p. 12
	Une rue dans la ville au Moyen Âge : p. 13
	Les grandes découvertes : p. 14
	Au temps des rois : Versailles : p. 15
	Au temps des rois : à la ville : p. 16
	Une sucrerie aux Antilles : p. 17
	Evaluation : p. 18

De la révolution française à nos jours

	La révolution française : p. 19
	Les débuts du chemin de fer : p. 20
	Travailler à l'usine : p. 21
	Le rôle du gaz au XIXe siècle : p. 22
	A la campagne au XIXe siècle : p. 23
	Les fêtes que nous célébrons : p. 24
	Au XXe siècle : les transformations de la vie quotidienne : p. 25
	Au XXe siècle : le travail à la chaîne : p. 26
	Les premiers congés payés : p. 27
	Evaluation : p. 28

• POUR REVOIR LA CHRONOLOGIQUE DES PÉRIODES DE L'HISTOIRE

Des études diachroniques

	Messages et images du monde : p. 29-30
	Construire au fil du temps : p. 31-32

Une case matérialise une séquence de travail.
Les pages indiquées correspondent à celles du cahier d'exercices.

2nde année du cycle des approfondissements : C.M.1

Une case matérialise une séquence de travail.
Les pages indiquées correspondent à celles du cahier d'exercices.

3e année du cycle des approfondissements : C.M.2

Une case matérialise une séquence de travail.
Les pages indiquées correspondent à celles du cahier d'exercices.

Chapitre 1

Des grands chasseurs
aux premiers paysans

Des grands chasseurs aux premiers paysans

PAGES 2-3

Une longue durée, une société humaine qui s'organise et s'adapte.

Pour mémoire

Grâce **aux feuilles archéologiques**, on peut aujourd'hui se faire une idée sur les conditions de vie des hommes de la Préhistoire depuis leur apparition sur la planète jusqu'à l'invention de l'écriture.

Voici les grandes étapes de « l'aventure humaine » :

• Il y a trois millions d'années, des êtres humains vivaient en Afrique.

• Il y a 400 000 ans, les premiers habitants de l'Europe sont **des grands chasseurs** ; les travaux de recherche effectués à Tautavel nous permettent de mieux les connaître.

• Entre 35 000 ans et 10 000 ans avant notre ère, une brillante civilisation couvre l'Europe : celle **des chasseurs de rennes**. On en garde un témoignage fabuleux à Lascaux.

• Il y a 5 000 ans, les hommes commencent à cultiver la terre et se regroupent en villages : ce sont **les premiers agriculteurs** qui apparaissent d'abord autour de la Méditerranée.

• À la fin de la Préhistoire, **la métallurgie** apparaît et se développe : travail de l'or, du cuivre puis découverte d'un alliage dur, le bronze, fait de cuivre et d'étain.

• Vers la fin de cette période, dans certaines régions comme la Bretagne, des pierres ont été dressées par les hommes : elles ne nous ont pas encore livré leur mystère.

Les fouilles archéologiques

Les fouilles sont méthodiquement et minutieusement organisées. Chaque objet ou indice trouvé est repéré précisément.

Les vestiges sont décapés sur place. Ce sont souvent des bénévoles passionnés, munis de brosses, de pelles, de seaux, de pinceaux, cuillers et de couteaux qui, sous la responsabilité de spécialistes, effectuent ces travaux.

Les objets sont ensuite consolidés, identifiés, triés, classés et mesurés.

Les débuts de l'écriture

Selon Marcel Cohen, on peut distinguer trois étapes dans l'évolution de l'écriture.

• Les pictogrammes : c'est une écriture figurative qui représente le contenu du langage et non le langage avec des mots et des sons.

• Les idéogrammes : ce sont des signes qui représentent plus ou moins symboliquement le signifié des mots.

• Les phonogrammes : ce sont des signes abstraits qui représentent des éléments du mot et les sons.

• Les hiéroglyphes sont des signes idéographiques et des signes phonétiques. Dans l'écriture cunéiforme, le nombre de signes reste important mais les signes sont plus simples et plus rapides à graver. Ce sont les Phéniciens qui sont considérés comme les inventeurs de l'alphabet. Leur écriture comporte 22 à 25 caractères qui notent les consonnes et non les voyelles.

Repères chronologiques

• La chronologie de la Préhistoire recule sans cesse dans le temps compte tenu des découvertes des savants. En ce qui concerne l'école primaire, on retient **deux faits de civilisation : la découverte du feu** (autour de − 400 000) et **la découverte de l'écriture** (− 3 000 environ).

• Trois lieux essentiels doivent être situé sur la ligne du temps, parce qu'ils correspondent à **trois moments des sociétés préhistoriques** : Tautavel, Lascaux, Charavines.

*L*es chasseurs de rennes

PAGES 4-5

Pour mémoire

Les chasseurs de rennes sont des hommes du Paléolithique supérieur : c'est-à-dire de la fin de l'époque de la pierre taillée ou âge ancien de la pierre, entre 30 000 et 10 000 ans avant notre ère. Physiquement, ils sont très proches de nous : ce sont des hommes dits de « Cro-Magnon », d'après les fouilles que l'on a réalisées à cet endroit.

• **Leur mode de vie est adapté au climat et à l'environnement** : ils sont **nomades** et vivent de la nature grâce à la chasse, la pêche et la cueillette.

• **Ils ont un outillage diversifié** : le silex est débité en lames longues, minces et tranchantes ; de nombreux outils sont aussi façonnés dans le bois et l'os de renne. Le bois était utilisé mais ne s'est pas conservé.

• **L'apparition de manifestations esthétiques** (peintures rupestres, sculptures) témoigne d'une civilisation raffinée.

Étude des documents

Reconstitution d'un campement de chasseurs de la Teulera

Ce campement a été reconstitué d'après les vestiges trouvés lors des fouilles : traces de tentes circulaires et de foyers ; présence de détritus de la chasse et d'éclats de silex.

Les tentes sont constituées de peaux posées sur des branches ligaturées au sommet et plantées en terre. Diverses activités sont représentées :

• au premier plan, à gauche, un homme taille des pointes de flèches en silex,

• devant la seconde tente, des hommes découpent un renne ; devant eux s'étend la zone de détritus,

• près de la troisième tente à droite, des hommes tendent une peau ; derrière eux des poissons ont été mis à sécher,

• dans le fond, à droite, un homme revient de la pêche : il tient un harpon dans sa main gauche.

Les peintures rupestres

Sur des objets ou sur les parois des cavernes, les chasseurs de rennes ont représenté des animaux mais aussi des hommes. Pour dessiner, ils utilisaient l'ocre qu'ils chauffaient pour obtenir la gamme allant du jaune au rouge et du manganèse ou du charbon de bois pour le noir. Cet art réaliste, animalier et symbolique traduit probablement des représentations religieuses.

Les outils des chasseurs de rennes

La fabrication de l'outillage de silex a considérablement évolué : précédemment les hommes taillaient des bifaces en façonnant des galets de silex ; les chasseurs de rennes, eux, débitent des lames en prélevant des éclats dans un bloc de silex. Ils obtiennent ainsi des outils légers et tranchants tout en économisant énormément de matière première.

L'outillage se diversifie et se spécialise : burins, grattoirs, perçoirs, couteaux, pointes de flèches et de lances taillées dans le silex servent à la chasse, au dépeçage, mais aussi au travail du bois et des matières osseuses. De nombreux objets sont façonnés dans l'os et le bois de renne. Les fines aiguilles à chas, que l'on a retrouvées, laissent penser qu'ils étaient d'habiles couturiers.

Pour s'éclairer, les chasseurs de rennes utilisaient des lampes à graisse en pierre : une mèche de fibre végétale trempée dans la graisse animale fournissait une flamme ressemblant à celle d'une bougie. Le manche qui permettait de déplacer la lampe sans se brûler était décoré de motifs gravés.

*L*es premiers paysans

PAGES 6-7

Pour mémoire

Il y a environ douze mille ans, le climat de nos régions devient doux et humide, la forêt se développe.

• La chasse étant incertaine, l'homme a domestiqué le porc, la chèvre et les bovins. Il y a neuf à dix mille ans, il a effectué les premières récoltes de céréales sauvages. Des sociétés de cultivateurs apparaissent : pour eux, la chasse, la pêche, la cueillette ne sont que des activités d'appoint. C'est l'époque du néolithique (âge nouveau de la pierre).

• Ce sont probablement les agriculteurs implantés au cœur de l'Europe (les Danubiens) qui ont, vers 3000 avant notre ère, défriché la forêt du nord de la France actuelle. À la même époque, l'écriture était inventée en Orient.

• De nouvelles relations s'installent entre l'homme et le milieu naturel : **les hommes produisent leur nourriture** en pratiquant l'élevage de certains animaux et en cultivant des céréales.

• Le mode de vie de ces hommes diffère de celui des grands chasseurs : ils sont **sédentaires** et se groupent en **villages**.

La communauté villageoise **s'organise et se hiérarchise** comme en témoignent les constructions mégalithiques (Mystère à Carnac page 8) qui supposent une société esclavagiste dominée par de puissants chefs et une religion sans doute solaire.

• Les débuts de la métallurgie à la fin du néolithique : les hommes de cette époque comprennent qu'ils peuvent en chauffant certaines roches, récupérer du métal. Les techniques de production sont améliorées ; le bronze, alliage de cuivre et d'étain, est mis au point.

Étude de documents

La reconstitution d'un village à Charavines

Le village est installé près d'un lac (Paladru en Isère) sur une hauteur. Des rondins de bois ligaturés constituent l'armature et la charpente des maisons qui paraissent assez grandes. Les toits sont en chaume. Les murs sont faits de branchages entrelacés bloqués par de la paille et de l'argile. Le sol est en terre battue.

Plusieurs personnes sont au travail.

• Au premier plan : à gauche, un homme et un enfant construisent un toit de chaume ; au centre, une personne munie d'une faucille porte une gerbe de blé ; à droite, deux hommes sont en train de dépecer un renne que vient de rapporter un chasseur.

• Au second plan : un homme taille une pirogue dans un tronc d'arbre. Derrière lui, une personne tend une peau. Une femme, adossée à un poteau, file de la laine ou du lin, le fil sera ensuite tissé pour obtenir les vêtements portés par les villageois. Sous l'auvent de la maison, une femme prépare une bouillie de céréales dans un récipient de terre.

La poterie apparaît à cette époque. Puisqu'il n'est plus nécessaire de se déplacer aussi souvent, on peut utiliser ces récipients lourds et fragiles pour stocker les denrées. La poterie était cependant trop fragile pour aller sur le feu. Ce sont des galets chauffés à blanc, mélangés aux aliments, qui permettaient de chauffer les liquides et les bouillies.

• Sur le lac, trois hommes partent pour la pêche.

Ces agriculteurs cultivaient du blé, de l'orge, de l'avoine, du seigle, du millet. Ils ramassaient aussi des noisettes, des glands, des noix. Ils élevaient des porcs, des moutons et des chèvres. Ils chassaient le cerf et le petit gibier et pêchaient dans les lacs et les cours d'eau.

La meule à main

Le blé était écrasé sur une pierre plate (la meule dormante) à l'aide d'une pierre mobile (la molette). Il fournissait une pâte encore mélangée à des impuretés qui constituait la base des bouillies et des galettes.

La hutte du forgeron

C'est le premier travailleur spécialisé, différent des autres membres de la communauté rurale. On distingue son enclume, le four rudimentaire rempli de charbon de bois et quelques outils parmi les premiers mis au point pour ce travail, directement lié à l'art du feu. Seule l'observation visuelle et la pratique permettent de savoir à quel moment se situe le point de fusion, et par conséquent l'intervention du forgeron sur la matière.

Étant donné la spécificité de son travail, le forgeron, dès le début est apparu comme un être un peu à part, proche des dieux. On lui a attribué des pouvoirs presque surnaturels, dont témoignent de nombreuses légendes.

On comparera ce document et celui de la page 43 pour constater que le travail n'a pas beaucoup évolué : on retrouve l'enclume, le four ; on peut se rendre compte des conditions de travail et constater la présence de soufflets qui n'apparaissent pas sur le premier document car on n'a pas conservé, à ce jour, des cuirs préhistoriques.

Le coin du savant (p. 8)
La galerie des ancêtres (p. 9)

Ces pages sont à lire en classe et à la maison.

• **L'homme de Tautavel**, actuellement le plus ancien européen connu. Attention, bien que des traces d'utilisation du feu aient été repérées en Alsace, datant de 400 000 ans, l'homme de Tautavel ne semble pas avoir connu, à cette date, cette capitale invention.

• **Mystère à Carnac** met l'accent sur la civilisation des mégalithes, contemporaine des grandes pyramides égyptiennes.

• **Les premiers métallurgistes** insistent sur la révolution capitale de l'homme qui n'est ni prédateur, ni producteur, mais fabricant.

• **Jason et la Toison d'or** rappelle l'attraction, à la période historique, des métaux. Son voyage constitue une première utilisation de la carte.

Chapitre 2

Des Celtes aux Gallo-Romains

Des Celtes aux Gallo-Romains

PAGES 10-11

*Le passage d'un type de société à un autre,
les formes de la romanisation,.*

Pour mémoire

• Les découvertes récentes apportées notamment par les prospections aériennes et les fouilles archéologiques apportent un éclairage nouveau sur le mode de vie, les croyances, l'organisation sociale **des peuples celtes**.

• La conquête des Gaules par Jules César (58-52 av. J.-C.) constitue une date charnière de notre histoire puisque une fois vaincus la plupart des chefs gaulois accepteront et faciliteront **l'implantation de la civilisation romaine**.

• La paix durable qui s'installe en Gaule permet un **épanouissement urbain** au style architectural monumental dont de nombreux vestiges sont parvenus jusqu'alors.

• L'aristocratie foncière parsème le paysage de « villas » : **grandes fermes** au centre d'immenses domaines où travaillent de nombreux esclaves.

Étude des documents

La tombe de la princesse Vix

Les fouilles archéologiques de Vix réalisées depuis les années 1950 apportent des renseignements nouveaux permettant de mieux cerner cette période encore mal connue. Elles montrent les richesses artistiques et techniques de **la civilisation celte** et dévoilent les échanges qui existaient entre la Gaule et la Grèce au Ve siècle avant notre ère.

Ce document présente la tombe de la princesse telle qu'elle aurait pu être lorsqu'elle fut enterrée.

Il s'agit d'une femme d'une trentaine d'années dont la richesse laisse penser qu'à cette époque des femmes pouvaient avoir un statut social important. Parmi les objets entreposés près de la princesse on note :
- ses bijoux : colliers, diadème en or,
- le lit de parade (sur lequel elle repose),
- les roues à moyeu de bronze et cerclées de fer qui ont été démontées,
- à gauche un vase immense (cratère), aux anses pesant plus de 45 kg chacune et fermé par un couvercle au centre duquel se trouve une statue de femme,
- et, devant le cratère, un vase à verser de fabrication grecque.

Le char met en évidence la haute technicité des artisans de l'époque. Le fait qu'il soit tiré à bras indique que, probablement, il y avait des esclaves dans la société gauloise (lire la page 24 du manuel, *Des charrons remarquables*).

Les décorations grecques de la coupe et du vase ont permis de situer le lieu de fabrication (la Sicile) et d'évoquer les échanges commerciaux entre les peuples méditerranéens et l'Europe du Nord Ouest productrice d'étain.

La diffusion du latin

Les Celtes ignoraient l'écriture mais connaissaient le grec. C'est cependant l'écriture et la langue latine qui se répandent à partir de la conquête. La romanisation se fait par l'école, où vont les plus riches. Ils apprennent à lire et à écrire sous l'œil du pédagogue que l'on reconnaît à sa barbe (document 3) et lisent sur des rouleaux de cuir (les « volumen »). On pourra décrire la scène charmante de ce bas-relief de Trèves, où l'on voit un élève arriver en retard, son petit panier (sans doute pour le repas ?) à la main.

Repères chronologiques

On compte un millier d'années entre la Gaule celtique et la Gaule romaine. Le changement d'échelle est donc très important avec le chapitre précédent. Trois moments sont à retenir : le **Ve siècle, époque de la tombe de Vix**, parce qu'on y décèle l'existence de tribus organisées en relation avec les Grecs ; **Alésia** qui marque le début théorique de la romanisation ; **476, date de la chute de Rome**, terme d'un siècle au cours duquel l'Empire n'existe pratiquement plus dans sa moitié occidentale.

*L*a Gaule celtique

PAGES 12-13

• Les prospections aériennes suivies de fouilles permettent aujourd'hui d'affirmer que, au moins dans le Nord de la France actuelle, l'agriculture est fondée sur la mise en valeur de **domaines immenses** dont la richesse et la production vont susciter l'intérêt des pays voisins.

• Les croyances et la religion celtes, faute d'écrits, sont connues par les fouilles et par les témoignages d'auteurs grecs ou latins. Il s'agit surtout **d'une religion de la nature** : culte des pierres, des forêts, des eaux, du soleil. Les prêtres (druides) sont des personnages socialement importants puisqu'ils exercent aussi la justice et ont le monopole de l'enseignement.

Étude des documents

Le chaudron de Gundestrup

Ce vase d'argent de 65 cm de diamètre, pesant près de 9 kg et décoré en relief intérieurement et extérieurement, a été trouvé à Gundestrup, au Danemark. Ce travail a été réalisé dans les plaines du Nord-Ouest de la mer Noire, aux confins des civilisations celtes et scythes. À côté d'éléments inspirés de l'art des steppes, voire du Proche-Orient, nous trouvons des thèmes proprement celtes.

La scène du chaudron et des guerriers reproduite sur le document est un des grands panneaux intérieurs à scènes mythiques ou rituelles. Plusieurs interprétations ont été faites de cette plaque :

– sacrifice à Teutatès par noyade, en présence d'une armée ;

– scène du mythe du chaudron magique d'éternité : les fantassins sont des morts que le géant va rendre à la vie en les plongeant dans le chaudron et qui ressuscitent sous la forme de cavaliers ;

– rite d'initiation au cours duquel des jeunes gens, après une immersion symbolique, sont admis dans la société des adultes. Les cavaliers seraient de nouveaux promus (baptême).

Ce document peut être lu ainsi :

Devant un héros où un druide qui plonge un soldat dans une cuve, s'ordonnent deux registres : à la partie supérieure, des cavaliers portent sur leur casque un animal symbolique (corbeau, sanglier, bois de cerf, et le dernier semble porter un arc-en-ciel). Ils sont précédés d'un serpent à tête de bélier. Un arbre avec ses branches et ses racines les sépare du second registre formé de fantassins avec lances et boucliers, précédés par un chien. À l'autre extrémité de la plaque, trois musiciens soufflent dans d'étranges trompettes.

La religion gauloise

La religion gauloise, faute d'une source littéraire indigène, n'est connue que par les recherches archéologiques ou les écrits de certains auteurs grecs ou latins. Elle prend appui sur le vieux fonds de la religion de la nature des populations préhistoriques : culte des pierres, s'étendant aux rochers et aux montagnes, culte des arbres et des forêts, culte des eaux sous toutes leurs formes, sources, rivières, lacs, mers, culte du soleil figuré par des roues ou des croix gammées.

Quant aux dieux proprement dits, ils sont très nombreux. Certains peuvent être rapprochés de dieux romains : Jupiter (Dagda), Mercure (Teutatès et Lug), Mars (Taranis), Minerve (Brigit). Un grand nombre de divinités gauloises ont une forme purement animale (taureaux, sangliers). D'autres ont une forme mixte humaine et animale, ainsi Cernunnos, le dieu accroupi, aux cornes de bélier ou de cerf, Epona, la déesse jument. Peu à peu, ces dieux à figure animale prennent avec le temps des traits humains : Epona deviendra une femme représentée généralement à cheval.

Des temples étaient sans doute consacrés aux dieux et aux héros. Construits en bois, souvent remplacés par des édifices gallo-romains, ils n'ont laissé que fort peu de traces. Peu à peu, des fouilles minutieuses les révèlent. Des offrandes sont faites aux dieux et aux héros : bijoux, monnaies, armes, butins de guerre, têtes de captifs... Des sacrifices sanglants sont pratiqués (sacrifices d'animaux, sacrifices humains). (Voir *Le passé recomposé*, p. 24 du manuel.)

*L*a conquête de la Gaule

PAGES 14-15

Pour mémoire

• Depuis la fin du second siècle avant J.-C., les Romains sont déjà installés dans la Gaule du Sud.

• De 58 avant J.-C. à 52 avant J.-C., Jules César entreprend de conquérir la « Gaule chevelue ». Vaincue malgré la résistance de Vercingétorix, l'aristocratie celte se soumet à la domination romaine. À partir de là commence la période gallo-romaine.

• La bataille d'Alésia est un événement qui permet de mettre en évidence le niveau technologique des armées en présence ainsi que des formes de combat (stratégie, siège), et des personnalités différentes que la légende a parfois exagérément typées.

• La conquête de la Gaule permet d'aborder l'idée d'invasion culturelle où vont se mêler dans des proportions différentes selon les lieux, l'apport de la romanisation et les traditions gauloises.

• L'éclat de cette civilisation gallo-romaine a impressionné tous ceux qui se sont intéressés à elle, à partir du XIXe siècle.

Étude des documents

Le siège d'Alésia

La ville était au sommet d'une colline, à une grande altitude, de sorte qu'on voyait bien qu'il était impossible de la prendre autrement que par un siège en règle. Le pied de la colline était, de deux côtés, baigné par des cours d'eau. En avant de la ville, une plaine s'étendait sur une longueur d'environ trois milles * ; de tous les autres côtés, la colline était entourée, à peu de distance, de hauteurs dont l'altitude égalait la sienne.

• Ce texte extrait de *La Guerre des Gaules* rapproché de la photo fait nettement apparaître le site d'Alésia comme une colline aplatie entièrement isolée de la plaine environnante.

• Le personnage de Vercingétorix a probablement été grandi par César qui voulait accroître sa gloire personnelle. La guerre des Gaules est surtout un écrit de propagande. De plus, au XIXᵉ siècle Vercingétorix devient le prototype du héros national qui a su fédérer les énergies contre l'envahisseur. Napoléon III s'est identifié à lui et a commandité les fouilles d'Alésia. Le personnage se dégage difficilement de la légende qui l'entoure.

Membre d'une famille aristocratique celte, il regroupe autour de lui ceux qui voient dans les Romains une menace pour le pouvoir. Avec l'aide des peuples du centre et de l'ouest de la Gaule, il lance l'offensive. Alors en Italie, César revient rapidement pour défendre la province. Il réussit à prendre Bourges, remporte une victoire à Lutèce (Paris) mais échoue devant Gergovie. Vercingétorix est alors confirmé à Bibracte comme le chef des Gaulois.

César se retire vers le Sud et Vercingétorix lance la cavalerie contre l'armée romaine en marche. L'assaut est repoussé et les Gaulois se retirent à Alésia. Remarquablement situé, l'*oppidum* d'Alésia semble une place forte imprenable. Mais c'est compter sans l'art du siège de César qui entoure la ville de telle sorte qu'il affame ses occupants et interdit toute aide extérieure.

La poterie sigillée

Les Gaulois sont de remarquables artisans et leur production de céramique notamment jouit d'une réputation méritée.

D'abord importateurs des poteries d'Italie, les Gaulois mirent au point une production dont la renommée grandit rapidement.

---

* Un mille romain vaut 1 500 mètres.

Faites d'argile fine, les céramiques sigillées portaient des décors en relief à l'image de celui des vases en métal.

Contrairement à la fabrication « à l'unité » la poterie sigillée faite au moule est une production en série qui permet la décoration en relief qui la caractérise.

Sur le document, deux gladiateurs s'affrontent. Celui de droite, protégé par un bouclier et un casque, est armé d'un glaive. Celui de gauche tient un trident et un poignard. La poterie sigillée apparaît donc comme une création technique locale mais dont la décoration porte la marque de la romanisation.

Le paiement de l'impôt

Après l'assassinat de Jules César, ses lieutenants se disputent son héritage. C'est Octave son petit-neveu et fils adoptif qui remporte la victoire et fonde sous le nom d'Auguste l'empire romain. Un impôt foncier frappe les provinces conquises.

Le document présente le percepteur assis devant une table couverte de pièces d'or. Il est assisté de fonctionnaires romanisés que l'on reconnaît grâce à leur visage imberbe. Les paysans gaulois reconnaissables à leur barbe et au petit capuchon qui les vêt semblent accablés.

*L*a ville gallo-romaine

PAGES 16-17

Pour mémoire

• Dans les années qui suivent la conquête de la Gaule par César, l'emprise de Rome se renforce : c'est la **romanisation**.

• À partir du règne d'Auguste, le premier empereur romain, des structures administratives nouvelles se mettent en place, les provinces sont délimitées. Pour consolider ses dominations, Rome s'appuie sur les anciens notables gaulois.

• Avec un décor monumental et des activités multiples **la ville** est le centre du nouveau monde gallo-romain.

• Les Gaulois sont de grands amateurs **des spectacles** que les Romains ont apportés et utilisés comme moyen de propagande.

Étude des documents

Narbonne, ville gallo-romaine

Les habitations sont disposées de part et d'autre de deux grands axes nord-sud (le Cardo) et est-ouest (le decumanus), matérialisés par des pointillés et se croisant au forum (n° 4) : grande place qui constituait le centre économique, civique et religieux de la ville.

Des monuments prestigieux s'élèvent dans la ville. On peut les classer en plusieurs catégories.

• **Les lieux de rassemblement**. : le forum (n° 4) centre de la vie politique et le portique (n° 8) lieu commercial.

• **Les espaces religieux** : le capitole (n° 3), la nécropole (n° 11).

• **Lieux de stockage** : horréas ou entrepôts (n° 5), quai (n° 10).

• **Les lieux destinés à l'agrément** : l'amphithéâtre (n° 7).

On pourra rapprocher ce dernier point de la scène représentée sur le document 3 (p. 17 du manuel) : un combat de gladiateurs, et compléter par la présentation de monuments des eaux (aqueducs et thermes) dont le rôle est essentiel. On veillera à ne pas associer « ville romaine » et propreté car de nombreux services n'existent pas encore (transport, ramassage des ordures, éclairage, police etc.).

Le théâtre d'Orange

Le nombre important de théâtres retrouvés en Gaule (plus de soixante) montre le goût des Gallo-Romains pour les spectacles. Le théâtre d'Orange est l'un des mieux conservés.

Le mur de scène, long de 103 mètres, et haut de 38 mètres servait de décor aux représentations mais avait aussi un rôle acoustique. Il avait trois étages de colonnes. Au centre, en haut, on voit la niche d'honneur qui présente la statue impériale d'Auguste (haute de 3,55 mètres).

La scène large de 9 mètres pour 61 mètres de long était séparée du public par une fosse étroite servant à loger le rideau qu'on levait avant et après la représentation.

Les spectacles présentés étaient souvent d'inspiration mythologique, mais on montrait aussi des légendes plus souriantes ou des thèmes inspirés par la vie quotidienne.

Une voie romaine

Les grandes routes romaines forment un réseau en étoile à partir de Lyon (*Lugdunum*), capitale des Gaules. Ces routes sont faites essentiellement pour la poste impériale et les déplacements des troupes.

Larges de 6 à 8 mètres, bordées de fossés de drainage, ces routes dallées, bornées, surveillées et entretenues assurent des déplacements rapides (pour l'époque).

La carte 2 (p. 103)

Elle révèle le quadrillage de l'espace par le système entier. On remarquera que, comme la carte précédente, l'axe Rhône/Saône et Nord reste l'axe privilégié.

Artisans et commerçants

PAGES 18-19

Pour mémoire

• La Gaule romaine connaît une intense activité économique.

« L'intégration de la Gaule dans l'Empire et le développement de la production déclencha un mouvement commercial considérable. Les Gaulois apprirent à connaître les produits des autres parties du monde romain. Vins d'Italie, huiles d'Espagne arrivaient dans des amphores dont les inscriptions nous révèlent la provenance. L'industrie réclama, comme aux temps préhistoriques, l'étain de Bretagne. Il s'y joignit l'importation du plomb. L'Espagne fournit le cuivre. Pour les constructions luxueuses, on réclama les marbres d'Italie et de Grèce, concurremment avec ceux des Pyrénées. L'exportation se faisait surtout vers l'Italie et consistait en produits tirés du sol : vins de Narbonnaise, jambons et charcuteries de l'Est, oies du Boulonnais, fromages des Alpes. Les cuirs et les tissus de laine grossiers étaient très recherchés pour les besoins de l'armée et du peuple. Vers la Bretagne et la Germanie, la Gaule exportait en quantité ses objets manufacturés : fibules, vaisselle et poteries [...] (À l'intérieur de la Gaule), la spécialisation commerciale apparaît très poussée. On connaît, à Narbonne, des marchands de licous, de sandales, de fioles, de verre, de limes, de bois de charpente. »

(Thévenot, *Les Gallo-Romains*, PUF.)

• Les échanges commerciaux étaient facilités par la mise en place d'importants réseaux de communication. Au réseau routier mis au point dès le règne d'Auguste (–21 avant J.-C. à 14) s'ajoutent les fleuves dont beaucoup sont navigables.
• La société gallo-romaine est **une société diversifiée** où les esclaves sont nombreux. Ils sont domestiques, ouvriers dans les carrières, les entreprises de construction... ou travaillent dans les immenses fermes de l'aristocratie foncière.

Étude des documents

La machine de levage

La construction d'édifices immenses a suscité l'invention de machines de levage.

La machine présentée ici est constituée d'un mât solide, à inclinaison variable, maintenu au sol par des cordes passant par des poulies fixées à ce mât.

La force nécessaire pour élever les charges est fournie par des esclaves qui marchent dans la roue autour de laquelle s'enroulent les cordes, ainsi que par ceux qui tirent à l'extérieur de la roue.

Il semble qu'un palan permette de démultiplier le poids.

C'est une machine ingénieuse qui nécessite beaucoup d'esclaves, mais dangereuse car sa stabilité n'est assurée que par des cordes tendues.

On retrouvera ce principe, à peine amélioré, au Moyen Age (p. 55 du manuel) et aux temps modernes (p. 94 du manuel).

Le transport sur l'eau

Sur ce bas-relief partiellement conservé, on voit une barque chargée de deux tonneaux, tirée à l'aide de cordes par trois haleurs dont l'un a disparu avec le fragment cassé.

Grâce à Sidoine Appollinaire (écrivain latin du Ve siècle), on sait que ces hommes rythmaient leur travail de chants. On notera le petit mât qui servait à attacher les cordes et la rame-gouvernail qui permet de diriger l'embarcation.

Le tonneau, d'invention gauloise, est beaucoup plus pratique que l'amphore. Il est moins fragile : il est en bois alors que l'amphore romaine est en terre cuite (nue ou protégée de vannerie). On le déplace en le roulant alors que l'amphore ne tolère que la position verticale et nécessite un coussin d'assise.

La carte (p. 194)

Elle montre la Gaule incluse dans l'Empire romain. On sait, par exemple, que la poterie sigillée est expédiée partout, jusqu'au Proche-Orient actuel.

*L*a campagne gallo-romaine

PAGES 20-21

Pour mémoire

• Même si, avec son décor monumental et ses activités diverses, la ville gallo-romaine apparaît comme le centre de la nouvelle civilisation et le miroir de Rome dans la Gaule. Cette société n'existe que grâce à **une vie rurale intense** où fusionnent les traditions gauloises et la nouvelle administration venue de Rome.

• En dépit du nouveau statut des terres, du cadastrage établi en vue d'une meilleure utilisation des sols, d'un meilleur rendement, mais surtout pour établir la fiscalité foncière, l'unité de production demeure : **le grand domaine**.

• Les riches propriétaires vivent de façon luxueuse et confortable dans les villas construites au cœur du domaine, séparées de la ferme proprement dite.

• L'observation méthodique de la mosaïque trouvée à Saint-Romain-en-Gal permet de connaître des travaux de la campagne, d'en découvrir quelques aspects techniques et de déduire qu'ils exigent une main-d'œuvre servile importante.

Étude des documents

La villa gallo-romaine

Il est probable que le propriétaire qui demeurait en ville ne faisait que de courtes apparitions dans sa propriété. Mais quand il venait c'était pour y mener une existence de citadin dans une demeure luxueuse aux murs revêtus de marbres et de fresques, meublée avec recherche et dotée d'un confort (eau courante, glacière, chauffage) que ne connaîtront ni les seigneurs féodaux ni les princes de la Renaissance.

À partir du IIIe siècle, l'insécurité des villes conduira les propriétaires à revenir vivre sur leur domaine où ils seront plus à l'abri des incursions des Barbares.

Souvent absents, les propriétaires confient la direction de leur domaine à **un intendant**.

Le domaine tend à vivre le plus possible sur lui-même. On exploite les champs cultivés, les prairies, les forêts. À la villa, on concentre les travaux de fabrication et d'entretien : tissage, scierie, menuiserie, forge, etc. Toutefois le domaine gallo-romain ne vit pas en autarcie comme le montrent les découvertes effectuées dans diverses villas. On achète et l'on vend à l'extérieur, notamment dans les marchés des villes.

Les travaux des champs

• Les semailles et les labours

Difficile de parler de labours puisque l'instrument utilisé, l'araire, ne retourne pas la terre comme une charrue mais la fend. Cela permet d'ameublir le sol, d'enfouir les graines préalablement semées et de limiter la prolifération des mauvaises herbes.

À l'aide du mancheron, l'esclave qui guide les bœufs attelés au timon maintient l'araire et contrôle la direction et la profondeur du travail accompli par le soc.

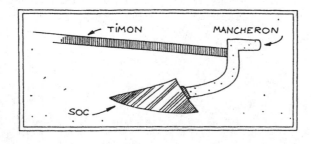

• Le transport du fumier

Le fumier est transporté à l'aide d'un brancard. Ce mode de transport implique une fumure à petite distance et sur une superficie modeste : probablement les potagers proches des habitations. On notera que comme sur le doc. 2, les hommes portent le manteau à capuchon caractéristique des Gaulois.

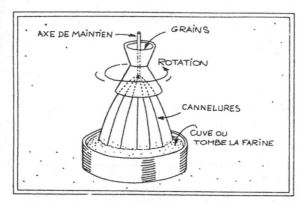

• Le moulin à grain

De lecture directe difficile, ce document pourra être complété, éclairci, par la présentation du schéma suivant :

Le grain est versé dans la partie supérieure posée sur le bloc fixe et cannelé de la meule. Un âne fait tourner la partie mobile. Les grains sont alors écrasés contre les cannelures. La farine obtenue tombe dans une cuve située à la base de l'ensemble.

La comparaison avec le doc. 2, p. 9 montre que si le principe reste le même (on broie le grain entre deux pierres dont l'une est fixe et l'autre est mobile), l'outil a été amélioré, et par conséquent le rendement.

On utilise ici la force animale (mais souvent les meules étaient actionnées par des esclaves).

• La cuisson du pain

Une partie inférieure constitue le foyer et chauffe les pierres de la partie supérieure où cuit la pâte. La comparaison avec les fours actuels montre qu'en dépit d'une source de chaleur parfois différente (mais pas toujours) le principe reste inchangé. Ce type de four nous est familier cependant : c'est celui des fours à pizzas.

• Foulage du raison et pressoir

La technique du foulage au pied était encore en vigueur récemment. Ce pressoir est un pressoir à balancier où l'on utilise le principe

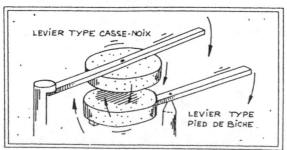

des leviers pour accroître la pression sur deux pierres (ou peut-être des couffins de paille tressée) entre lesquelles on a mis le fruit à presser.

*L*a fin de l'Empire romain

Pour mémoire

> • La paix de l'empire est assurée par la protection permanente de l'armée et d'une puissante marine. Toutefois les menaces répétées que les Germains font peser sur la frontière nord amènent les successeurs d'Auguste à mettre en place un système défensif avec murailles et fortifications diverses. C'est le limes.
>
> • Les divinités romaines côtoient les divinités gauloises. Mais l'ouverture de la Gaule sur le monde méditerranéen facilite la pénétration des cultes orientaux. C'est dans ce contexte que va naître la première communauté chrétienne connue en Gaule. Malgré les persécutions (Lyon en 177), **le christianisme** progresse pour finalement devenir la religion officielle en 337 avec la conversion de l'empereur Constantin.

Étude des documents

Le culte de Mithra

Le culte de Mithra, particulièrement répandu chez les soldats, est l'exemple de ces cultes orientaux en Occident. Religion dualiste, la religion de Mithra tourne autour de la vénération de ce dieu qui est mis à mort mais ressuscite au printemps.

Mithra tue le taureau devant le serpent et le chien. Ce moment évoque le baptême du nouvel initié que l'on asperge avec le sang du taureau sacrifié.

41

Le limes

Pour se protéger des envahisseurs, les Romains avaient élevé sur des milliers de kilomètres de frontières, un prodigieux système de défense : *le limes*. Celui-ci était composé d'un mur reliant entre eux de petits forts. Des villes de garnison et des routes stratégiques complétaient le dispositif. Ces fortifications continues ont été érigées au IIe siècle pour protéger les zones frontières des possibles incursions barbares.

La ruée des Barbares sur la Gaule romaine

Saint Jérôme a été le témoin de la grande invasion de 406. Il en dramatise sûrement les effets mais, en même temps, il rend sensible la catastrophe à laquelle il assiste : la fin de l'Empire romain. Il est particulièrement sensible à la chute des grandes villes, car là se trouvaient en majorité les populations christianisées.

À partir du IVe siècle, une iconographie proprement chrétienne se met en place. Une des représentations les plus populaires : la Nativité et la venue des Rois Mages est issue des évangiles « apocryphes », c'est-à-dire non reconnus et ne faisant pas partie du Nouveau Testament.

Le coin du savant (p. 24)
La galerie des ancêtres (p. 25)

Ces deux pages sont à lire en classe et à la maison.

• **La fondation de Marseille** rappelle que la colonisation grecque a précédé celle des Romains mais s'est limitée à **des cités côtières**.

• Le **chariot de Vix**, le **temple de Gournay** sont **contemporains** du Parthénon.

• **Vercingétorix** et **Jules César** sont les personnages historiques identifiés de l'histoire de France.

Chapitre 3

La naissance
de l'Europe

*L*a naissance de l'Europe

PAGES 26-27

Trois civilisations dont deux chrétiennes se partagent les dépouilles de l'Empire romain. Elles se manifestent par des degrés différents dans le domaine des arts et de la culture.

Pour mémoire

Trois grandes civilisations succèdent à la civilisation romaine.

• Depuis la fin du IVe siècle, l'Empire romain, à la suite de dissensions du pouvoir, avait été partagé en deux ; **l'Empire romain d'Orient donne naissance à l'Empire byzantin** qui essaiera de reconquérir l'Occident au IVe siècle.

• **L'Empire romain d'Occident s'effondre** avec les invasions barbares du Ve siècle ; les tentatives de reconstruction de l'Empire par les princes barbares échouent ; cependant la fusion progressive des éléments barbares et romains donnera naissance à **une civilisation unifiée par la lente diffusion du christianisme** : l'Occident chrétien.

• Un autre pôle culturel se développe au VIIe siècle en Orient autour d'une nouvelle religion : **l'Islam** ; rapidement la religion musulmane se répand et couvre un territoire allant de l'Atlantique aux portes de la Chine et menace l'Occident chrétien.

À la suite des invasions des Germains, le territoire de la Gaule connaît une grande mutation : de nouveaux pouvoirs s'instaurent d'où se dégage la puissance des Francs. Vers 800, **Charlemagne** crée un **Empire franc** et chrétien qui ne résistera pas aux invasions normandes.

L'absence de pouvoir central favorise l'émergence de pouvoirs locaux qui, en ces temps d'insécurité, assurent la protection et l'encadrement des populations.

• **Les récentes découvertes archéologiques** nous permettent de mieux connaître cette période : la photographie aérienne a mis en évidence les traces de nombreuses mottes féodales où se dressaient les premiers châteaux, symboles de cette puissance locale ; des fouilles en Ile-de-France renouvellent les connaissances sur le Haut Moyen Âge et des reconstitutions en maquettes comme celle d'un village carolingien, rendent plus parlante l'évocation de ce lointain passé.

Étude des documents

L'empire romain d'Orient

L'Empire romain d'Orient avait Byzance (aujourd'hui Istanbul) pour capitale. Les différents empereurs ont successivement essayé de reconquérir l'Occident barbare. Justinien y a presque réussi au VIe siècle. C'est sous son règne que fut édifiée la basilique Sainte-Sophie. Toutes les églises byzantines étaient construites sur le même plan : en croix grecque (quatre branches égales) avec une coupole centrale ; les murs étaient recouverts de mosaïques.

L'Empire byzantin était le successeur de l'Empire romain : l'organisation, la culture étaient les mêmes, il était presque aussi riche et aussi puissant ; seules différaient la langue (on parlait grec) et la religion (on adorait Jésus-Christ). Byzance qui commerçait avec tout le monde connu, était la ville la plus riche du monde, et la plus étendue.

Le monde musulman

En 613, Mahomet commence, en Arabie, à prêcher une nouvelle religion, il se proclame héritier des deux autres religions monothéistes connues (juive et chrétienne) et reconnaît la Bible comme un des livres sacrés. Cependant les racines de l'Islam et les causes de son fulgurant développement nous sont mal connues. Il reste vraisemblable que cet immense événement culturel doit être mis en relation avec une expansion démographique et économique de l'Arabie de ce temps-là.

Dès la mort du Prophète Mahomet, les Arabes se lancent à la conquête du monde. (Voir carte page 22 du manuel.)

Vers l'an 1000, l'Empire arabe s'étend de l'Afrique à la Chine. Cet empire est divisé en trois califats dont les capitales sont Bagdad, Cordoue et Le Caire. Ces villes deviennent des centres artistiques et intellectuels remarquables. Parmi les plus belles réalisations architecturales, les mosquées sont des lieux de culte et de réunion. La grande mosquée de Cordoue est l'une des plus célèbres.

L'Occident chrétien

En Occident ce sont les monastères installés à l'écart des villes, en pleine campagne, ou en montagne tel Saint-Martin-du-Canigou, qui diffusent le christianisme et sont les foyers de la culture et des centres intellectuels et artistiques.

À partir des monastères qui se sont multipliés dès le VIIe siècle, l'Église a pu conserver la culture antique mais a su aussi emprunter à l'art barbare l'usage des couleurs et des motifs, pour créer un art typiquement médiéval, celui de l'enluminure des manuscrits, par rapport aux deux autres civilisations contemporaines, celle de l'Occident chrétien paraît moins brillante et moins développée.

Repères chronologiques

Sur une période de 500 ans, trois civilisations contemporaines occupent le pourtour du bassin méditerranéen. L'Islam se développe surtout au détriment de Byzance. Celle-ci reste, néanmoins, la civilisation la plus brillante et la référence absolue sur toute la période.

*D*e nouveaux peuples s'installent en Gaule

PAGES 28-29

Pour mémoire

• Les invasions barbares ne se sont pas déroulées brusquement. Au IVᵉ siècle, les barbares sont aux frontières de l'Empire romain. Certains y sont même accueillis comme soldats ou comme paysans.

• Les grandes invasions, **vaste mouvement de migrations de peuples d'Europe centrale**, sont déclenchées en chaîne d'est en ouest : les Huns, peuple particulièrement redoutable déferlent en hordes vers l'Ouest, obligeant les Germains installés au nord de l'Empire romain, à franchir, au début du Vᵉ siècle, *le limes*. L'Empire romain d'Occident, miné de l'intérieur par les crises économiques et religieuses et les pressions continuelles des peuples barbares aux frontières, ne résiste pas.

• Une multitude de petits royaumes vont succéder à l'Empire. La France tire son origine de l'un d'eux : **le royaume franc** où se crée une nouvelle civilisation romano-germanique.

• **Clovis**, s'appuyant sur les **structures administratives romaines** et sur **l'Église**, impose un nouveau pouvoir politique, celui du roi : la dynastie mérovingienne est fondée (VIᵉ-VIIᵉ siècle).

Étude des documents

Le guerrier mérovingien

Les Germains étaient passés maîtres dans la métallurgie. Cette supériorité technique leur donnait un incontestable avantage dans les guerres qu'ils entreprenaient. L'armement défensif consistait essentiellement en un casque, le plus souvent conique, et un bouclier généralement rond et bardé de plaques de fer. Leurs vêtements collant aux membres leur assuraient une grande liberté de mouvements, rendue nécessaire par l'utilisation d'armes de jet. De larges ceinturons enserraient leur taille. L'armement offensif comprenait des sabres, de longues épées et surtout des lances, des framées (sorte de long javelot), des francisques (haches de jet à un tranchant).

L'art des peuples barbares

Ces peuples semi-nomades accordent un grand soin à fabriquer et orner les objets usuels facilement transportables, destinés au harnachement des chevaux, au décor des huttes ou des tentes. Le luxe des bijoux et des armes révèle une habileté technique remarquable. Leur art a su concilier des motifs hérités de traditions séculaires germaniques ou celtiques et des apports orientaux et romains.

Les Germains décorent leurs boucles de ceinture, leurs armes, leurs bijoux, d'éléments mi-végétaux mi-animaux, stylisés, où s'affirment des figures de plus en plus géométriques (courbes, cercles, lignes brisées…). Ils emploient une ornementation polychrome réalisée par l'insertion de pierres et de pâtes de verre colorées. Les grenats, les rouges, les verts, les bleus reviennent le plus souvent… Le métal est travaillé ou repoussé, chaque pièce est isolée dans sa monture parfois entourée de filigrane.

La qualité de leur orfèvrerie contraste avec la rusticité des autres arts : sculpture et architecture (document 4), surtout si on les compare avec la mosaïque de Ravenne (document 5). Bien que sur celle-ci les critères de la représentation spatiale soient maladroits, on admirera les nuances des teintes, la majesté de la composition, le rendu des visages. On est là en face d'un mode d'expression que les Byzantins ont particulièrement illustré et dont Ravenne nous restitue les plus beaux exemples.

L'Empire carolingien

PAGES 30-31

Pour mémoire

• À la mort de Clovis, ses quatre fils se partagent le royaume franc comme le veut la coutume franque. Le royaume franc perdure pendant plus d'un siècle puis connaît ensuite une longue période d'anarchie et l'invasion des Arabes au VIIIe siècle. Pépin le Bref, petit-fils de Charles Martel, maire du palais, qui à la tête d'une expédition militaire, arrête l'avancée des Arabes en 732 à Poitiers, dépose le dernier Mérovingien et se fait élire roi à sa place en 751, marquant ainsi l'avènement de la dynastie carolingienne.

• Charlemagne (768-814) tente de reconstituer l'Empire romain d'Occident. Son empire repose sur une organisation administrative et militaire ; celle-ci est assurée par les **comtes**, aristocrates laïques mais aussi par les **évêques** et les **abbés**. Charlemagne récompense leur fidélité en leur donnant des terres prises sur les domaines royaux. Après la mort de Charlemagne, ce sont eux qui exercent la réalité du pouvoir. Les seigneurs les moins puissants se placent sous leur protection. **C'est le début de la féodalité.**

• Charlemagne impulse un nouveau intellectuel et artistique : de beaux manuscrits enluminés sont produits ; des écoles, sous l'autorité d'un évêque ou d'un abbé forment les futurs administrateurs.

• De grands domaines fonciers se reconstituent : ce sont les abbés ou les évêques qui, le plus souvent, en sont les seigneurs ; ces grandes exploitations comprenaient d'une part des terres cultivées pour le maître par des paysans installés sur le reste du domaine et d'autre part des petites parcelles que les paysans exploitaient pour leur compte en échange de redevances.

Étude des documents

La bible de Charles le Chauve

Il s'agit d'une page de la *Bible de Charles le Chauve*. La peinture a 44 cm de haut. Elle a été exécutée à Tours entre 846 et 851 pour commémorer la remise à Charles le Chauve de ce précieux manuscrit que Vivien, abbé de Saint-Martin de Tours, avait fait calligraphier à son intention. C'est un magnifique exemple de l'art des enlumineurs de la Renaissance carolingienne.

Le souverain est assis sur son trône, entouré des officiers du palais. Il porte un manteau de couleur jaune et non un manteau pourpre parce qu'il est roi et non encore empereur. Au bas de la composition, l'abbé Vivien, suivi des religieux de son monastère, est accueilli par le clergé de la chapelle impériale.

La composition rigoureuse, géométrique, symétrique, l'ordre d'évolution des personnages, les plages de couleurs contrastées, tout concourt à donner sa signification à la scène. Au-delà du témoignage précis qu'il rapporte, le document nous donne une idée de ce que pouvait être l'entourage d'un souverain carolingien : comtes, évêques chargés de l'administration des provinces.

• La composition symétrique est renforcée, de part et d'autre de la médiane, par le décor d'animaux, d'anges agitant les encensoirs, et par le drapé qui suggère la salle du trône.

• Le souverain se situe au centre d'un cercle formé par l'architecture et les groupes d'ecclésiastiques. Sur le diamètre, de part et d'autre, les personnages civils, s'appuyant sur le trône, et les hommes armés, l'un tenant une lance, l'autre une épée.

• Sur le quart de cercle droit, le clergé de la chapelle du palais.

• Sur le quart du cercle gauche, la procession des moines de Saint-Martin portant le précieux livre. Tous les regards (sauf ceux des personnages à gauche du souverain) convergent vers le livre que portent les moines. On remarque la place de l'abbé, pas tout à fait sur l'axe de symétrie, mais suffisamment proche pour que l'on devine son importance.

• Des bandes de couleur renforcent la situation des groupes. Entre la terre ocre et le ciel bleu, le groupe des moines se meut dans le bleu sombre, alors que le souverain est sur la plage la plus claire. Ces lignes horizontales contrebalancent les lignes courbes et la verticale.

En conclusion, il s'agit d'un témoignage d'un événement contemporain, rapporté dans toute sa dimension symbolique : à la croisée des pouvoirs civil et religieux se trouve le souverain.

Le village de Villiers-le-Sec

Des fouilles importantes ont donné lieu à une exposition [1] grâce à laquelle on connaît mieux désormais les conditions de vie de la paysannerie dans la région de Saint-Denis-en-France.

Le village de Villiers-le-Sec comportait une dizaine de maisons construites en terre et recouvertes d'un toit de chaume. Les fours à pain étaient situés à l'extérieur ainsi que les ateliers de tissage. Les premiers, pour une question de sécurité, les seconds parce que l'humidité (les ateliers étaient creusés dans la terre) était nécessaire au tissage de la laine.

---

1. *Un village au temps de Charlemagne*, musée national des Arts et Traditions populaires, Paris, 1988.

*L*es invasions normandes

PAGES 32-33

Pour mémoire

• Les Normands « hommes du Nord » organisent annuel-
lement des expéditions de pillage aux embouchures des
fleuves, puis progressivement de plus en plus loin dans l'Empire qui ne résiste pas à ces nouvelles invasions.

• Les successeurs de Charlemagne sont incapables de protéger l'Occident contre les raids des Hongrois, des Sarrasins
et des Normands : la résistance doit s'organiser sur place ; les
grands seigneurs laïques ou ecclésiastiques élèvent **des fortifications** et protègent de vastes territoires ; **ils exercent pour
leur propre compte les pouvoirs du roi. Les paysans** doivent en échange de leur protection, accepter de nombreuses
obligations et redevances.

• La broderie de Bayeux représente un remarquable témoignage sur la société guerrière du Haut Moyen Âge : habille-
ment et armement du guerrier, attaque et défense du château.

Étude des documents

La tapisserie de Bayeux

La broderie de Bayeux fut réalisée au XIe siècle pour célébrer le
triomphe de Guillaume le Conquérant, duc de Normandie, sur son

adversaire Harold, le roi d'Angleterre, mais aussi pour justifier le bien-fondé de cette entreprise normande. Elle est attribuée à la reine Mathilde, épouse de Guillaume ; il est toutefois à peu près certain qu'elle fut exécutée à la fin du XIe siècle par des brodeuses et des dessinateurs anglais.

• La construction des navires

Guillaume a ordonné de construire une flotte pour se rendre en Angleterre avec son armée afin de chasser Harold qui, pense-t-il, lui a ravi le trône. Cette scène permet d'observer le travail des charpentiers : dans le bateau du haut, l'homme de gauche utilise une hachette d'aplanissage ; l'autre homme, debout derrière le bateau du bas, a une hachette à manche coudé, l'autre homme utilise peut-être un marteau. Ces deux ouvriers ont une longue barbe, sans doute pour rappeler leur âge et l'expérience exigée d'un charpentier de navire. Deux bateaux ont une figure de proue. On remarque les trous pour les avirons et sur l'un d'eux le trou dans le montant de la proue pour la corde de halage.

• La flotte navigue vers l'Angleterre

Les navires au gréement à voile carrée, ont une proue et une poupe élevées parfois ornées d'une tête d'animal et à tribord une rame faisant office de gouvernail. Les boucliers sont disposés de manière à protéger les passagers des embruns. L'un des bateaux a une croix à l'extrémité du mât ; c'est celui de Guillaume. Sur ce bateau, le marin qui tient la rame à l'arrière tient aussi les écoutes de la voile. Derrière lui, un homme souffle dans une corne, sûrement pour communiquer avec les autres navires. Les chevaux ont été montés à bord des navires.

• Le siège d'une ville

Ce document nous montre l'attaque d'un château situé sur une motte. La motte est une sorte de butte artificielle ou naturelle. Elle est entourée d'un fossé. Le donjon, lui aussi entouré d'un fossé, est protégé par des palissades en bois.

Deux hommes essaient d'y mettre le feu. Pour accéder à cette fortification, il faut gravir un pont avec des marches qui se dresse au-dessus du fossé et ce, sous les jets de javelots. Le système de défense du château est renforcé par deux tours avancées. Les armes sont bien visibles : épées - javelots. On utilisait aussi la masse, le gourdin, la lance, l'arc et les flèches. Les guerriers ont une longue cotte de maille qui descend jusqu'aux genoux, un casque avec nasal et un bouclier en forme de cerf-volant derrière lequel ils peuvent se protéger presque entièrement.

Le coin du savant (p. 34)
La galerie des ancêtres (p. 35)

Ces deux pages sont à lire en classe et à la maison.

• **L'avion à la découverte du passé** nous informe sur une nouvelle méthode de projection, qui s'est développée avec l'aviation, surtout depuis la Seconde Guerre mondiale.

• **La guerre et les étoiles** met en relation les événements astronomiques et les croyances populaires.

• **Clovis** est bien connu par son biographe Grégoire de Tours. Sa conversion au catholicisme a été un acte politique d'une portée majeure.

• **Charlemagne** face à ses antagonistes byzantin et musulman, il tente de reconstituer l'Empire romain d'Occident. C'est le sens de son couronnement à Rome en l'an 800.

Chapitre 4

Le temps
des châteaux-forts
et des cathédrales

Le temps des châteaux-forts et des cathédrales

PAGES 36-37

À partir du XIᵉ siècle, on assiste à l'expansion de l'Europe occidentale. Cette expansion se manifeste dans tous les domaines et déborde l'Europe par des menées guerrières et des explorations.

Pour mémoire

• La société féodale est une **société hiérarchisée** où les hommes sont subordonnés les uns aux autres. À partir du XIIᵉ siècle le monde féodal s'affaiblit et **l'autorité du roi s'affirme** dans un royaume qui s'agrandit. À la fin du Moyen Âge, la monarchie française affronte un autre puissant royaume, l'Angleterre, partiellement installé sur le royaume de France.

• Dans les campagnes, la vie s'organise autour du château : la terre appartient aux seigneurs, elle est cultivée par les paysans, hommes libres ou serfs pour entretenir ceux qui combattent (les nobles) et ceux qui prient (le clergé) ; **les progrès dans les techniques agricoles** et **l'accroissement du nombre des hommes** entraînent une amélioration de la condition paysanne.

• Les villes se développent : elles ont **une fonction économique et commerciale** ; elles se peuplent de **bourgeois** et d'artisans qui n'ont pas leur place dans la société féodale.

> • La vie quotidienne des hommes du Moyen Âge est imprégnée par la **religion** ; l'Église, fondée sur la distinction entre clergé séculier (évêques - curés) et clergé régulier (moines et abbés), anime la vie intellectuelle, organise l'enseignement et l'assistance et assigne comme but aux chevaliers la lutte contre les infidèles et les hérétiques.
>
> • L'art religieux s'épanouit dans le **roman** puis le **gothique**. Il se manifeste également dans les enluminures des manuscrits.
>
> • Au XIVe siècle, c'est le temps des troubles (famines - épidémies - révoltes) qu'aggrave encore **la guerre de Cent ans**. Cependant, la reprise est manifeste dès le milieu du XVe siècle.

Étude des documents

Les travaux des champs à l'ombre du château

Au fil des pages des livres de prières ou livres d'heures, des enluminures présentent un support imagé au déroulement de l'année. Les enlumineurs ont surtout symbolisé chaque moment de l'année par des travaux agricoles mais ont souvent donné une image idyllique de la vie rurale.

Néanmoins le document permet de mettre en évidence que :
• le paysan travaille à l'abri du château et sous la domination du seigneur : les éléments fortifiés du château et l'importance qui lui est accordée sur l'image le prouvent.
• l'existence du paysan dépend du résultat de la moisson ; le blé est coupé ou plutôt scié à la faucille, à mi-hauteur des tiges afin de laisser de la paille dans le champ pour les bêtes. La faucille doit être aiguisée souvent avec une pierre spéciale que le faucheur portait à la ceinture. Une autre activité est représentée, la tonte des moutons avec des forces qui sont les ancêtres de nos ciseaux.
Bien que ces documents soient du XIVe siècle, ils évoquent des conditions d'existence et de travail valables pour toute la période.

La construction d'une cathédrale

À partir du XIe siècle s'ouvrent de vastes chantiers de construction de cathédrales. Cette miniature fait partie d'un livre d'heures peint par Jean Fouquet (XVe siècle).

On distingue :

• les manœuvres : ils charrient les blocs de pierre, transportent le ciment.

• les tailleurs de pierre au premier plan : ils sculptent avec poinçons et marteaux les imposantes sculptures de la façade.

• au sommet de l'édifice, les maçons hissent des blocs de pierre grâce à la traction d'une immense roue à échelons dans laquelle marchent généralement des hommes.

• un riche personnage à gauche (un roi), semble surveiller la construction et même donner des ordres à son architecte.

• des pèlerins qui entrent et qui sortent de la cathédrale.

La cathédrale, monument le plus significatif de l'essor urbain, est l'église de l'évêque. Elle témoigne de la puissance et de la foi de toute une société.

Repères chronologiques

On traitera en bloc de la période qui va, sur cinq cents ans, du XIe au XVe siècle en insistant sur ce qui leur est globalement commun. On mettra en évidence les éléments qui concourent à l'expansion de l'Europe du point de vue technologique, économique et social. On distinguera deux moments : celui des croisades (XIe-XIIIe s.) et celui de la Guerre de Cent ans (XIVe-XVe s.) en mettant en évidence leur signification différente, conflits, contacts, culturels…

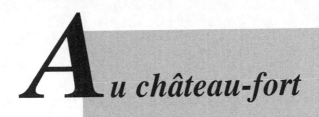

Au château-fort

PAGES 38-39

Pour mémoire

• Les successeurs de Charlemagne avaient été incapables d'assurer l'ordre dans le pays. Ce sont les seigneurs locaux qui ont organisé la résistance contre les envahisseurs normands et hongrois des IXe et Xe siècles, sur le territoire protégé par le château.

• Ces seigneurs ont ainsi renforcé leur autorité sur les hommes libres qui dépendaient d'eux et qui, devenus leurs vassaux, les aidaient à maintenir la paix et à faire régner la justice. C'est cette forme de société qu'on appelle la féodalité.

• Les liens qui unissent suzerains et vassaux sont scellés au cours d'une cérémonie appelée l'hommage. Le vassal se place sous sa protection d'un seigneur et s'engage à lui être fidèle, à le servir à sa cour, à la guerre et à l'aider financièrement dans quatre cas : quand le seigneur doit payer rançon, armer chevalier son fils aîné, marier sa fille aînée ou partir en croisades. Le seigneur doit aussi être fidèle à son vassal et il doit l'entretenir ; pour cela il lui concède un bien, **le fief** qui est généralement une terre : il lui propose aussi des divertissements, chasses et tournois.

• La société féodale est une société très hiérarchisée. Tous les seigneurs ne sont pas égaux mais au contraire sont liés les uns aux autres par des relations fortes de personne à personne. Au sommet de la pyramide féodale se trouve **le roi**. Directement sous son autorité, les grands barons du royaume puis les possesseurs de châteaux-forts et enfin les hommes d'armes.

• Le rôle le plus important du seigneur est de faire la guerre. Il s'y prépare dès son plus jeune âge auprès de son suzerain et devient chevalier lors de la cérémonie de l'**adoubement** : le jeune homme reçoit ses armes, puis pour montrer sa résistance, est frappé symboliquement du plat de l'épée et doit ensuite prouver par des exercices militaires, qu'il est capable de remplir ses fonctions.

• Le seigneur participe aux croisades. Ces guerres contre les infidèles et les hérétiques, prêchées par l'Église, permettent aux chevaliers les plus pauvres de partir à la recherche de nouvelles terres.

• Le seigneur édifie un château au centre de son domaine, symbole de sa puissance et de l'autorité qu'il exerce sur les environs.

Étude des documents

Le château de Bonaguil

Bien que construit vers la fin du Moyen Âge, la forteresse de Bonaguil est très médiévale : le château paraît faire corps avec le rocher sur lequel il se dresse.

Ce château a été le premier à posséder une barbacane, petite forteresse extérieure ayant sa propre autonomie de défense. Elle est séparée de la seconde enceinte par de profonds fossés franchis par des ponts-levis.

Le donjon domine le château ; il ne présente à l'ennemi que des lignes obliques, ce qui diminue la surface offerte aux tirs des assaillants.

L'hommage

Par la cérémonie de l'hommage, le vassal, tête nue, sans armes, s'en remet au pouvoir de son seigneur : il s'agenouille, place ses mains jointes entre celles de son patron et déclare : *Sire, je suis votre homme*. Le seigneur le relève et lui donne l'accolade pour montrer qu'ils restent égaux, malgré ce lien de dépendance.

Après « l'hommage », le vassal prête son serment de fidélité debout, la main tendue sur les livres saints ou sur des reliques, ce qui l'engage devant Dieu. Si le vassal rompt le contrat, il est coupable de félonie et peut être puni.

Le repos du seigneur

Pendant tout le Moyen Âge, le seigneur est celui qui mange à sa faim. La chasse dont il a l'exclusivité, lui procure une nourriture abondante et variée qu'il aime fort épicée pour en cacher le goût faisandé.

Sur le document, on note :

• la table dressée sur des tréteaux et recouverte d'une nappe brodée, le seigneur mange dos à la cheminée, sous un dais imposant, en position centrale par rapport à la pièce ;

• des musiciens installés au balcon ;

• une domesticité nombreuse qui apporte les plats avec un cérémonial pompeux.

On peut s'étonner de l'écart entre l'apparat et la pauvreté de la vaisselle. C'est que l'on ignore tout des usages de la table tels que nous les connaissons aujourd'hui. Chacun a un couteau, une tranche de pain et mange avec ses doigts. Il n'y a ni assiette, ni fourchette, ni cuillère.

Au monastère

PAGES 40-41

Pour mémoire

Au XIe siècle, le christianisme a conquis l'Europe presque entière et fait l'unité de la civilisation médiévale. À côté du clergé séculier qui encadre la vie dans les villes et les campagnes, les moines retirés dans les monastères, vivent suivant une règle et se consacrent à la prière. Leur influence est considérable sur les hommes et sur la civilisation du Moyen Âge.

• Les monastères, centres religieux, jouent **un rôle social primordial**.

Implantés en milieu rural, ils ont réussi à faire pénétrer peu à peu le christianisme dans les campagnes.

Les moines remplissent aussi des fonctions sociales en assurant l'aide aux indigents, aux malades et en accueillant les pèlerins.

• Les monastères, **centres intellectuels et artistiques**.

Grâce à leur bibliothèque et à leur scriptorium, les monastères conservent le savoir. Les moines copistes sauvent de l'oubli, en les recopiant, les livres saints et les œuvres antiques. Ils transmettent aussi ce savoir dans les écoles monastiques.

Les moines perfectionnent **l'art de l'enluminure** et sont aussi de **grands bâtisseurs**. Le long des routes de pèlerinage se multiplient les églises romanes. Dans leurs églises, très austères au début, les moines cisterciens adoptent la croisée d'ogives ouvrant ainsi la voie à l'art gothique.

• Les monastères sont aussi **centres de production artisanale**.

Les abbayes sont souvent **des puissances foncières** exploitant des domaines pouvant s'étendre sur plusieurs milliers d'hectares. L'exploitation est réalisée par les moines et par des tenanciers payant à l'abbé les redevances habituelles du système féodal.

Les moines ont aussi défriché et sur leurs immenses domaines, ils développent de nouvelles pratiques de culture comme l'assolement triennal ou l'élevage intensif du mouton.

Le monastère possède aussi des ateliers nombreux et variés puisqu'il faut produire tout ce qui est nécessaire aux moines et aux tenanciers s'il y en a, pour se nourrir, se vêtir, construire, fabriquer l'outillage agricole…

Les moines vendent l'excédent de leur production et participent aux grandes foires de Champagne. Les abbayes disposent alors de capitaux qui leur permettent de participer étroitement à la vie économique. Les cisterciens, en particulier ont été les premiers « industriels » en exploitant les mines de fer de Bourgogne et en implantant sur leurs domaines des « granges de la forge » où le fer était travaillé pour être vendu.

Étude des documents

Le monastère de Saint-Gall

En classant les bâtiments du monastère suivant leur fonction, on met en évidence le rôle qu'il jouait au Moyen Âge :
• lieu de prière : église - cloître et logement des moines
• lieu d'accueil : hôtellerie réservée aux riches visiteurs - hôtellerie des pauvres et des pèlerins
• exploitation : bergeries - étables - porcheries - écuries - granges - poulailler - potager - verger
• centre artisanal où l'on essaie de produire tout ce qui est nécessaire : tonneliers et tourneurs - boulanger et brasserie - meules - mortiers - pressoir - ateliers et logis des artisans
• lieu de soin : pharmacie - hôpital
• lieu d'enseignement et de culture : école - bibliothèque.

Le monastère a, avant tout, un rôle religieux et la première mission du moine est de prier pour louer Dieu et implorer sa clémence pour toutes les fautes commises par les hommes. Il abrite aussi souvent les reliques d'un saint et accueille donc ceux qui viennent se recueillir devant elles. En effet, l'homme médiéval part visiter les reliques d'un saint pour obtenir une guérison, une faveur, pour accomplir un vœu ou une pénitence afin d'être racheté d'une faute grave. Ce sont les pèlerinages. Les différentes classes se mêlent sur les chemins de pèlerinage : les pauvres munis d'une besace ou d'un bâton sont vêtus d'une pèlerine, les riches vont à cheval. Certaines routes de pèlerinage sont célèbres comme celle de Saint-Jacques-de-Compostelle et jalonnées d'églises, de monastères et d'hôtelleries pouvant héberger les pèlerins.

La réalisation d'un manuscrit

Les quatre vignettes composant la miniature retracent la fabrication du manuscrit :

• en haut à gauche, le roi demande que les moines d'une abbaye lui recopient le livre qu'il présente et qui lui a peut-être été envoyé par une autre grande abbaye à cette fin.

• en haut à droite, le copiste reçoit le livre à son lieu de travail : le scriptorium. Il écrit avec une plume d'oie sur le parchemin placé sur le pupitre incliné. Avant de commencer à recopier, il a délimité le cadre dans lequel doit s'inscrire le texte, tracé des lignes pour l'écriture et ménagé les espaces pour les titres et pour les décorations qui sont l'œuvre des enlumineurs. Dans sa main gauche, le copiste tient le petit canif qui sert à retailler la plume ou à gratter le parchemin en cas d'erreur. Le travail du moine copiste était long et fatigant : pour copier un évangéliaire de 202 pages de 34 lignes chacune, le moine copiste aurait mis plus de deux mois. Dans un manuscrit du Xe siècle, un copiste demande au lecteur, à la fin de son ouvrage, de prendre soin du livre car *celui qui ne sait pas écrire ne croit pas que c'est un travail ; il fatigue les yeux, il brise les reins et il tord tous les membres.* En bas, le livre qui a été décoré par les enlumineurs est relié puis porté et présenté au roi.

Le développement des campagnes

PAGES 42-43

Pour mémoire

La seigneurie encadre la vie rurale : les paysans cultivent les terres réservées au seigneur ainsi que des parcelles qui leur ont été remises en échange de redevances en argent ou en nature. Le seigneur les protège mais exige des corvées variées : tours de garde, entretien du château, travail sur ses terres.

• **Les progrès techniques sont importants**

– Les forces de l'eau et du vent se substituent à l'énergie musculaire. Apparus durant l'Antiquité romaine mais diffusés en Occident à partir du Xᵉ siècle seulement, les **moulins à eau** se multiplient dans les campagnes. **Le moulin à vent**, plus récent, ne se répand qu'à partir du XIIIᵉ siècle. La diffusion de ces moyens constitue un progrès décisif pour les paysans condamnés à utiliser jusque-là les meules traditionnelles à bras ou mues par des animaux.

– L'invention de **l'attelage par collier d'épaule** renforce la traction animale ; il devient possible d'atteler les chevaux les uns derrière les autres afin de traîner des chargements de plus en plus lourds.

– La généralisation de la **ferrure du cheval** permet d'éviter une usure prématurée des sabots. Cette triple invention du collier d'épaule, du dispositif en file et de la ferrure allège la peine des hommes alors que les performances sont accrues.

– L'outillage agricole connaît aussi des perfectionnements : le fer remplace le bois dans la fabrication d'outils désormais plus résistants et plus efficaces. La grande **charrue à roues et à versoir** permet un labour plus profond.

• La condition paysanne s'améliore

L'espace cultivé ne cesse de s'étendre : **de nombreuses terres sont défrichées** et les cultures gagnent sur la forêt. Cette extension des terres cultivables a une conséquence sur la condition des paysans :

– Les seigneurs, qui voient dans ces nouvelles cultures de nouveaux profits, encouragent les paysans à défricher ; ils les attirent en leur promettant de **les affranchir** et d'alléger les redevances. Beaucoup de paysans vont ainsi s'installer sur les terres nouvelles pour profiter des franchises. De nouveaux villages sont créés. Dans les vieux villages, **les seigneurs** allègent les redevances et **libèrent les serfs** pour les retenir.

– Néanmoins, seuls les paysans possédant un bon outillage agricole peuvent obtenir des rendements plus élevés, vendre une partie de leurs récoltes et s'enrichir peu à peu.

– Tous les paysans doivent supporter l'autorité du seigneur. Cette autorité se manifeste sous la forme d'un ensemble de droits qui sont ceux qu'un roi exerce d'ordinaire sur ses sujets et que l'on nomme **le ban** : le seigneur juge les paysans, leur impose une contribution (la taille) et les oblige à utiliser son four, son moulin et son pressoir moyennant paiement (les banalités).

Étude des documents

La seigneurie

Les paysans travaillent, près du château, sûrement sur les terres réservées au seigneur.

Différents types de travaux, qui en principe sont échelonnés dans le temps, sont présentés simultanément :

• le travail de la terre : labours - hersage - semailles. C'est un labour à sillons profonds avec une charrue de bois à roues, avec un coutre, un soc et un versoir bordés de fer. Le paysan qui ne possède pas de charrue travaille la terre à la bêche. Les semailles s'effectuent à la main, à la volée.

• la taille des arbres fruitiers avec une serpe.

• l'extraction de pierres pour réparer le château.

• la garde des troupeaux dans un pré ou dans un champ laissé en jachère.

Près du château, on aperçoit le moulin banal appartenant au seigneur.

Le moulin banal

Sur les cours d'eau, les moulins se multiplient. Ils déchargent hommes et bêtes de l'épuisant travail d'actionner les meules pour moudre le grain. La construction d'un moulin coûte cher. Les moulins appartiennent donc au seigneur, laïque ou ecclésiastique, et le paysan doit payer une forte redevance pour utiliser un moulin banal.

Le document montre que le moulin seigneurial est proche du château. Il est tenu par le meunier que l'on aperçoit à la fenêtre. Le meunier, au Moyen Âge, est un personnage souvent aisé et fort détesté des paysans qui pensent qu'il s'enrichit à leurs dépens. En effet, il ne cultive pas la terre de ses bras mais transforme le produit récolté moyennant rémunération et c'est lui qui verse au seigneur qui lui lave le moulin, le montant des banalités.

Miniature représentant une forge

Des forgerons sont installés dans les villages et fabriquent certaines pièces de l'outillage agricole.

On voit de gauche à droite la réserve de charbon de bois et la pelle qui sert à le prendre, le foyer de la forge avec la cheminée au-dessus. Entre le foyer et la cheminée arrive l'air envoyé par les deux soufflets. À droite le forgeron frappe avec un marteau sur un morceau de fer incandescent qu'il tient avec une pince sur l'enclume. Il frappe alternativement avec son aide. Un marteau et une tenaille sont posés sur la forge.

Ce n'est qu'à partir du XIVe siècle que l'utilisation de l'outillage en fer se généralise car l'invention du haut fourneau permet de produire du fer en plus grande quantité et à un moindre coût...

*L*e développement des villes

PAGES 44-45

Pour mémoire

À partir du XIe siècle, les relations commerciales reprennent : le trafic sur les rivières et par mer s'intensifie ; les foires de Champagne attirent les marchands de toute l'Europe. Les anciennes cités reprennent vie, d'autres se développent près des ponts, des ports, des monastères et des châteaux.

• **Les villes sont entourées de remparts et de fossés**. Les rues y sont étroites, sans trottoirs, les maisons de bois serrées les unes contre les autres ; trop à l'étroit à l'intérieur du rempart, elles se développent à l'extérieur, ce sont les faubourgs. Étant donné la promiscuité, le feu et les épidémies étaient redoutables.

• **La ville n'a plus** seulement un rôle ecclésiastique et militaire, **elle a aussi une fonction artisanale et commerciale**. Pour loger, nourrir et vêtir les habitants, toutes sortes de métiers s'établissent et se spécialisent.

Marchands et artisans se groupent par profession, ce sont les corporations dont les règlements fixent les procédés de fabrication, les salaires, les horaires de travail et les conditions de l'apprentissage.

• Les bourgeois essaient de se libérer de la domination du seigneur de la ville, **ils s'unissent et exigent des libertés ou « franchises »**. Ils obtiennent, parfois par la violence, une « charte » qui leur donne le droit de s'organiser en commune.

Ils ont alors leur hôtel de ville, leurs remparts, leur milice, leur justice et leurs taxes. La ville est administrée par des échevins qui en sont souvent plus riches habitants.

Étude des documents

La ville au Moyen Âge

La ville du Moyen Âge est un lieu de refuge pourvu d'un important système défensif : importance du site (Feurs est construite sur une hauteur) ; fortifications imposantes (remparts - tours - chemins de ronde).

La ville est un centre religieux : elle est divisée en paroisses, chacune ayant son église. Les prêtres qui dirigent la vie spirituelle de la ville accomplissent aussi des œuvres de charité : accueil des voyageurs, assistance aux personnes en détresse, soins aux malades (Hôtel-Dieu).

La ville s'est étendue en dehors des remparts : la ville devenue lieu de marché est trop à l'étroit à l'intérieur de ses murailles ; les maisons serrées les unes contre les autres ont été construites sans définition de certains principes urbains.

Une rue commerçante

C'est une rue de la fin du Moyen Âge dans un quartier de marchands aisés. La rue est pavée, les maisons sont en bois et torchis, celle du barbier est en pierre. Les magasins ouvrent directement sur la rue et les artisans travaillent à la vue de tous.

On reconnaît :

– au premier plan, à gauche la boutique du tailleur où l'on taille et coud les vêtements ; à droite la boutique du marchand d'épices où l'on voit sur le comptoir des tartes et un pain de sucre et à l'arrière des pots en faïence renfermant cannelle, clous de girofle...

– dans le fond au centre, la boutique du marchand de fourrures et sur la droite, celle du barbier reconnaissable à l'enseigne composée de quatre plats à barbe suspendus.

La carte (p. 197)

Elle met en évidence le réseau des villes, de plus en plus complexe qui quadrille l'Europe et assure son développement.

Eglises et cathédrales

PAGES 46-47

Pour mémoire

• Les hommes du Moyen Âge sont en permanence rappelés à la vie religieuse par les cloches qui rythment le travail quotidien, les fêtes religieuses, nombreuses, qui ponctuent l'année.

• À partir de l'an Mil, on construit en Occident de magnifiques églises romanes : comme la population s'accroît, il faut des églises plus nombreuses et plus vastes pour accueillir les fidèles.

• La sculpture occupe une grande place et l'église entière devient un livre d'images.

• À partir du XIIe siècle, avec la prospérité économique, les revenus de l'Église et des villes augmentent, favorisant l'essor architectural. De vastes chantiers de constructions de cathédrales gothiques s'ouvrent. La cathédrale est l'église de l'évêque. Elle témoigne de sa puissance et de sa foi.

• L'art gothique est un art de la lumière. L'utilisation des voûtes à croisées d'ogives et des arcs-boutants permettent d'ouvrir de grandes baies que l'on va couvrir de vitraux.

• La sculpture et les vitraux illustrent les principes de la religion chrétienne.

Étude des documents

L'église romane

Saint Austremoine d'Issoire est un monument roman du XIIᵉ siècle. L'art roman fleurit en Europe après les temps troublés du Xᵉ siècle.

C'est le retour à l'art de la pierre qui depuis les Romains s'était perdu. On apprend à exploiter les carrières locales et à aimer la pierre pour elle-même et non plus comme simple support de décoration. On recommence à la travailler. Cette église d'Issoire est un bel exemple de chevet pyramidal. Les volumes géométriques, bien individualisés (cubes, cylindres, troncs de cône…) s'étagent autour du pôle constitué par le clocher et s'articulent pour former une construction pyramidale fortement implantée au sol et qui s'élève par étages dégageant une forte impression d'équilibre et de force.

Aujourd'hui, lorsque nous visitons des églises, nous admirons les sculptures dont les couleurs sont celles de la pierre, mais au Moyen Âge les églises étaient rutilantes de couleur. Les murs, les voûtes, les chapiteaux et même les sculptures extérieures étaient décorées de couleurs intenses, ce qui donnait à l'édifice une animation plus vive.

Les chapiteaux romans

Les chapiteaux constituent un élément important dans l'ornementation des églises romanes. Le décor sculpté n'est pas surajouté, mais incorporé à l'édifice dont il respecte les lignes d'architecture. Les éléments se déforment pour épouser le support sur lequel ils sont placés. Ce souci engendre le mouvement : les figures ondulent, rampent, dansent autour du chapiteau.

Les thèmes traités par les imagiers du Moyen Âge sont divers. Ils accordent une très grande place à l'iconographie religieuse : Ancien Testament, Évangiles, histoire des saints… On a dit que les sculptures étaient destinées à instruire les humbles qui ne savaient pas lire, mais en fait elles s'adressaient également aux gens plus instruits car on peut les lire à deux niveaux : celui du motif apparent et celui du symbole. Ici, le moulin de Verlay décrit une situation familière mais en même temps, il signifie que le grain de l'Ancien Testament, versé par Moïse, fondateur du judaïsme, devient la fine farine du Nouveau Testament, recueillie par saint Paul, fondateur du christianisme.

La cathédrale gothique

L'édification de Notre-Dame de Reims, cathédrale des Sacres, a été entreprise en 1211. Une des innovations de la façade est le couronnement des tympans par des rosaces.

L'architecture gothique, en effet, recherche la lumière. Les évêques pensent que pour rendre hommage à Dieu, il faut construire des édifices où la lumière pénètre à flots. Les constructions doivent être hautes et les parois réduites au maximum. De larges verrières garnies de vitraux éclairent l'ensemble.

L'art gothique est très humain : les représentations de la sculpture et de la peinture sont plus naturalistes, tout en étant idéalisées. Les artistes glorifient Dieu et la Vierge, les prophètes, les apôtres et racontent l'histoire sainte d'une manière plus sensible. Les démons de l'art roman sont remplacés par des anges souriants. La sculpture envahit les façades qu'elle décore de statues superbes.

L'accroissement du royaume de France

PAGES 48-49

Pour mémoire

En 987, les grands seigneurs et les grands évêques ont choisi Hugues Capet pour souverain. Ne possédant que quelques domaines entre Compiègne et Orléans, c'est un roi bien faible. Il sait cependant tirer parti des divisions entre les grands barons et devient leur arbitre. Il fait sacrer son fils de son vivant, marquant ainsi le début de la dynastie des Capétiens qui règnera jusqu'en 1792.

• **La cérémonie du sacre est importante**
Les premiers rois de France se font tous sacrer à Reims renouant avec la tradition du baptême de Clovis. Le sacre place le roi au-dessus de ses sujets car, recevant son pouvoir de Dieu, il est considéré comme son lieutenant sur la terre. Son droit de justice est supérieur à tout autre, et tout habitant du royaume peut faire appel à lui.

• **Le domaine royal s'agrandit progressivement :**
— Philippe Auguste (1180-1223) s'empare de presque toutes les possessions de son plus puissant vassal, le roi d'Angleterre. Seule l'Aquitaine reste anglaise.
— Louis VIII et Louis IX (1226-1270) annexent au domaine royal une partie du midi de la France à la suite de la croisade des Albigeois.
— Philippe Le Bel (1285-1314) ajoute par mariage la Champagne au domaine royal.

• **Le pouvoir royal s'affirme face aux grands seigneurs :**

– en même temps qu'ils agrandissent le domaine royal, les rois mettent en place **une administration efficace** : les baillis et sénéchaux nommés par le roi sont chargés de faire exécuter ses ordres.

– le roi s'entoure d'un personnel de plus en plus spécialisé ; il fait codifier les lois pour gouverner et réunit les États (clergé - nobles - bourgeois) pour lever les impôts.

– la justice est rendue par des tribunaux royaux qui font concurrence aux tribunaux du seigneur et les remplacent petit à petit.

• Depuis longtemps, un conflit tantôt ouvert tantôt larvé oppose le roi de France à son puissant vassal, le roi d'Angleterre. Une querelle de succession, à la suite de la mort des héritiers mâles de la couronne de France, donne le prétexte à Édouard III, petit-fils par sa mère de Philippe le Bel, pour réclamer le trône qui lui revient, selon lui. Il entame les hostilités en 1338. Les opérations militaires, entrecoupées de nombreuses trêves durent jusqu'en 1453.

Au début, les Anglais conduisent plusieurs expéditions victorieuses à travers le royaume : Crécy (1346), Poitiers (1356). Édouard III est maître d'un tiers du royaume. Rapidement, Charles V aidé de Duguesclin reprennent ses conquêtes. Profitant de la guerre civile en France entre les Armagnacs et les Bourguignons, Henri V roi d'Angleterre écrase la chevalerie française à Azincourt (1415) et se fait reconnaître héritier du trône de France. Il est roi des Deux couronnes au traité de Troyes en 1420.

Alors que tout semble perdu, Jeanne d'Arc, une jeune paysanne, décide Charles VII à reprendre le combat et redonne courage aux Français, alors que, en Angleterre, des troubles intérieurs divisent le pays.

L'élan décisif est donné. Dans les années qui suivent, le territoire est reconquis. En 1453, le roi d'Angleterre ne possède plus en France que Calais.

• La guerre de Cent ans a débuté dans une période marquée par les épreuves et des luttes terribles : famines et épidémies sévissaient depuis 1315 ; en 1348 la Peste Noire se répand en Europe où elle fait périr le quart de la population ; les villes sont troublées par des émeutes, les campagnes par des révoltes paysannes, les « Jacqueries ». À partir de 1450-1460 une reprise économique et politique (avec les règnes de Charles VII et de Louis XI) efface progressivement les traces de ces terribles épreuves.

Étude des documents

Le couronnement du roi de France

Le sacre fait du roi de France un personnage religieux, responsable de la conduite des fidèles vers le salut.

La cérémonie se déroule à Reims, presque toujours de la même manière :
- le roi jurait de protéger l'Église, de maintenir la paix et la justice ;
- après de longues prières, l'évêque procédait avec l'huile miraculeuse de la Sainte-Ampoule à plusieurs onctions sur le corps du roi, appelé à supporter le poids du royaume et les soucis du gouvernement, puis sur ses mains ;
- c'était ensuite la remise des ornements royaux et notamment la couronne comme on le voit sur le document. Le sacre conférait au roi le pouvoir de guérir les écrouelles : *Le roi te touche, Dieu te guérisse.*

La remise au roi du recueil des lois de la province de Normandie

Le roi, avec sa couronne et son sceptre recueille de la main de l'archevêque de Rouen, le grand coutumier de Normandie. Le roi veut être plus que le suzerain suprême, il veut être le maître du royaume. Pour cela, conseillé par un personnel compétent, il s'appuie sur les lois et prend avis des États en matière financière. Sur le document, on reconnaît à leurs vêtements distinctifs les évêques, les abbés et les représentants des bourgeois des villes.

La bataille de Crécy (1346)

Depuis le XIe siècle, la guerre au Moyen Âge était celle des seigneurs, véritables soldats de métiers, qui combattaient à cheval et à l'arme blanche. La grande innovation introduite par les Anglais est celle des archers, à pied, mobiles et rapides. Ils seront les artisans de la victoire à Crécy et presqu'un siècle plus tard à Azincourt (1415).

Les arbalétriers, du côté français, étaient loin de disposer de la même efficacité. Leur arme était très lourde, et comme on le voit au premier plan du document, devait être tendue grâce à une manivelle, à chaque coup.

Crécy fut un désastre. On voit le roi, fuyant, demandant asile dans un château voisin.

Le coin du savant (p. 50)
La galerie des ancêtres (p. 51)

Ces pages sont à lire en classe et à la maison.

• **Le vitrail et la roue hydraulique** donnent chacun dans leur domaine une idée des **prouesses techniques** médiévales.

• **Saint-Louis** reste **le modèle des rois** du Moyen Âge, en particulier grâce à son biographe Joinville. Il a eu surtout de la chance de gouverner pendant une période d'expansion économique.

• **Jeanne d'Arc** est une figure noble, malheureusement déformée par la légende. Il faut insister sur l'**extraordinaire impact** de cette jeune fille sur une population excédée par la guerre et sur l'ingratitude absolue dont elle fut victime.

Chapitre 5

Commerce et grandes découvertes

Commerce et grandes découvertes

PAGES 52-53

À partir du XIIIe siècle, dans la foulée des Croisades, l'idée de contourner les musulmans pour faire du commerce conduit à des entreprises d'exploration. La connaissance du monde s'en trouve notablement modifiée. À partir de l'espace méditerranéen, désormais connu, on acquiert une bonne connaissance de l'Europe et des autres continents.

Pour mémoire

• La reprise du commerce en Occident est due au développement des campagnes et des villes. L'intense activité commerciale profite surtout aux villes de foire et aux ports de la Mer du Nord et de la Méditerranée.

Marchands, financiers et armateurs sont les acteurs de cet épanouissement économique.

Avec la caravelle et les nouveaux instruments de repérage, le niveau technique de navigation fait de grands progrès ; par contre les techniques portuaires restent rudimentaires.

• L'élargissement du monde connu permet à quelques pays d'Europe de coloniser de nouvelles terres et d'augmenter leur puissance.

La colonisation provoque l'asservissement de toute une population d'Amérindiens rapidement décimée par les maladies et les mauvais traitements. Les empires précolombiens, florissants, sont détruits à jamais.

• La période des Grandes Découvertes est à replacer dans l'histoire des explorations. On sait que des expéditions vers l'Amérique et le Groënland ont eu lieu au début du Moyen Âge, mais celles des XVe et XVIe siècles sont décisives car elles intègrent désormais les pays atteints dans le cadre économique mondial.

Étude des documents

Planisphère de 1486 (BN, Paris)

Il faut distinguer les représentations symboliques de l'espace, communes dans les manuscrits médiévaux à caractère religieux, des représentations effectuées par les cartographes en particulier celles issues de l'atelier d'Abraham Cresques de Majorque. C'est de lui que nous tenons le fameux atlas Catalan conservé à la Bibliothèque nationale de Paris, daté de 1345.

Ce planisphère de 1486, soit un peu plus de cent ans après, confirme la bonne connaissance que l'on avait de la Méditerranée et de sa périphérie immédiate.

Le monde connu en 1587

On comparera l'une et l'autre carte pour mesurer les progrès effectués en un siècle. Mais il ne s'agit pas seulement d'une meilleure connaissance du terrain rapportée à un outil : il s'agit de la création d'un véritable langage, dégagé de toute référence mythologique ou légendaire. La cartographie est née.

Repères chronologiques

La frise chronologique permet de montrer le rôle essentiel joué par les Portugais : ils préparent, pendant deux siècles, les découvertes à venir. Rien d'étonnant alors que celles-ci se multiplient sur un temps bref, moins de cinquante ans.

Les Grandes Découvertes sont contemporaines de la Renaissance dont elles sont l'un des aliments.

*L*es marchands

PAGES 54-55

• Le développement de l'activité commerciale au XIIIe siècle concerne les villes de Flandres et d'Italie du Nord ; les foires de Champagne situées sur le parcours en tirent profit.

• Au XVe siècle, les troubles provoquent le déplacement des centres commerciaux au profit de villes situées plus à l'Est (Flandres, Bourgogne, vallée du Rhin) ou au profit des ports situés sur l'Atlantique.

• Ce sont les marchands, les bourgeois financiers qui sont les acteurs de cet épanouissement économique.

• La navigation est transformée par la caravelle et les nouveaux moyens de repérage : boussole, portulans. Par contre les techniques portuaires restent rudimentaires.

Étude des documents

La construction des routes

Une des préoccupations des seigneurs et des rois est d'aménager les routes et de les rendre carrossables.

La seule technique connue est le pavage, travail long et coûteux.

Aussi peu de routes sont-elles construites de cette façon. L'axe Paris-Orléans reste longtemps l'une des seules voies du royaume à être pavée et mérite le surnom de « Pavé du Roi ».

Le document montre les étapes de la création d'une route :
– défrichage de la forêt,
– pose des pavés de pierre sur un lit de sable à l'aide de marteaux.

Les péages sont en principe versés à l'entretien des routes, pour lesquelles les paysans peuvent être astreints à la corvée.

Des inventaires de bateaux

Ces inventaires de cargaison donnent une idée de ce que pouvaient transporter les navires de cette époque. La comparaison des différentes cargaisons permet de constater que d'Égypte viennent des produits de luxe, rares et coûteux. Parmi eux, les produits alimentaires tiennent une place importante. D'Angleterre viennent des matières premières (métaux et laine).

Le bateau de Jacques Cœur

• Les bateaux tels ceux de Jacques Cœur servaient au grand commerce, tant en Méditerranée qu'en mer du Nord et sur l'océan Atlantique. Leur taille était variable mais assez importante : leur charge était comparable à celle des péniches d'aujourd'hui.

• Sur le document, on voit que :
– la coque est en bois, la voilure est en toile, les cordages en chanvre ;
– la voilure se compose d'une voile carrée fixée à un grand mât surmonté d'une hune ;
– le gouvernail d'étambot a remplacé la rame-gouvernail. Il se manœuvre de l'intérieur, articulé par des charnières de fer. Des écussons permettaient d'identifier le navire, mais aussi le pavillon frappé de fleurs de lys. Jacques Cœur était « ministre des finances » du roi de France, et sa protection le garantissait contre bon nombre d'attaques de pirates et de corsaires.

• En raison de l'insécurité des voyages (les navires de commerce sont souvent attaqués en cours de traversée), les bateaux se munissaient de moyens de défense :
– *La hune* permet de surveiller la mer. On y accède par des échelles de corde. Dans la hune sont entreposés des paquets de lances qui seront utilisés en cas d'attaque.
– *À la proue et à la poupe*, se trouvaient des ouvertures par lesquelles des canons (les couleuvrines) passaient pour défendre le navire.

Le port de Bruges

Sur le port de Bruges, une machine de levage déplace des tonneaux de vin. Au premier plan, près des tonneaux, trois débardeurs
goûtent le vin tandis que trois négociants discutent. Deux chevaux
traînant une civière attendent sans doute qu'une décision soit prise
pour le chargement.

Une comparaison de la machine de levage avec la machine
romaine fera apparaître de nombreuses similitudes. Seul le problème de la mobilité a trouvé une solution différente : dans la
machine romaine, le bras est orienté par un système de poulies et de
cordages. Dans la machine de levage de Bruges, c'est le tout qui
pivote. Les hommes qui font tourner la cage d'écureuil servent aussi
de contrepoids selon l'importance de la charge.

La carte (p. 197)

Elle donne la perspective spatiale de ces échanges qui sont ter-
restres et de plus en plus maritimes.

Des expéditions lointaines

PAGES 56-57

• Les expéditions lointaines sont motivées par la recherche d'une route maritime qui contourne l'Empire ottoman vers l'Inde, pays des épices, et la quête de métaux précieux qui font défaut, ce qui gêne le développement commercial de l'Occident.

• Elles sont facilitées par à la fois des innovations techniques (boussole, portulan, moyens de navigation) mais aussi les moyens financiers que mobilisent les souverains et de riches négociants.

• Elles entraînent un élargissement du monde connu, une révolution dans la conception du monde marquée par les progrès de la géographie et de la cartographie.

• La chronologie de ces expéditions lointaines montre l'avance des Portugais et des Espagnols.

Étude des documents

Le voyage de Marco Polo

En 1271, les frères Polo quittent Venise, emmenant avec eux leur fils et neveu Marco, âgé de quinze ans. Ils doivent remettre une missive à l'Empeur de Chine.

En effet, depuis le début du siècle, un phénomène d'une extra-ordinaire puissance se déroule. Partis d'Asie centrale, les Mongols ont constitué un empire qui couvre pratiquement toute l'Asie et arrive aux portes de l'actuelle Europe. Pour la première fois se découvre la possibilité d'échanges sans intermédiaire entre l'Occident et les régions les plus reculées de l'Asie.

Marco Polo reste vingt ans au service de l'Empereur de Chine. Si son témoignage direct est contesté aujourd'hui car il semble qu'il n'ait pas parcouru la Chine mais utilisé le témoignage d'autres voyageurs, son récit a toutefois frappé les imaginations. Il a inspiré le cartographe majorquin Abraham Cresques et Christophe Colomb avait lu et relu *Le Livre des Merveilles*.

Un portulan

Ce document est une carte nautique.

• Les renseignements fournis par la carte sont de deux sortes : renseignements sur le repérage, renseignements sur les lieux. En effet, la carte est striée en tous sens de longs segments de droite qui partent de roses des vents. Ils soulignent les caps à tenir pour naviguer d'un point à un autre. Cette forme de repérage n'est pas totalement scientifique et correspond à un siècle d'expériences d'utilisation de la boussole. Ce n'est que plus tard que des coordonnées géographiques permettant la localisation de n'importe quel point seront établies (longitude, latitude).

Autre information : les noms de lieux. Ils se pressent le long des côtes suivant les formes de celles-ci d'où le nom de portulan donné à ce type de document.

• Certaines parties sont représentées très exactement : le contraste est grand entre la précision et l'exactitude des côtes (impression renforcée par la localisation de la moindre escale) et le vide de l'intérieur du continent. À ceci, deux raisons : l'intérieur du pays était inconnu ou à peu près, comme cela était le cas pour l'Afrique. Mais l'intérieur de l'Espagne ou de l'Italie ne sont pas représentés non plus : tout simplement parce que la carte, à l'usage des navigateurs, se souciait avant tout des possibilités d'accoster la terre.

• Comparer le portulan et la carte des pages 198-199.

L a découverte de l'Amérique

PAGES 58-59

> • On sait qu'au Moyen Âge des voyages d'exploration sur les côtes de l'Amérique ont eu lieu à partir du Groenland.
> Cependant, seul Christophe Colomb a émis des hypothèses scientifiques (rotondité de la Terre) et seul son voyage a eu pour conséquence l'intégration – forcée – du nouveau continent dans un système économique désormais mondial.
>
> • Les contacts amicaux qui se sont établis entre les indigènes et Christophe Colomb ne résistèrent pas longtemps à l'attrait des métaux précieux.
>
> • Des empires florissants ont été détruits à jamais : la population indigène a été asservie et décimée par les maladies et les mauvais traitements. Pour compenser ces pertes, l'esclavage noir est introduit par les conquérants.

Étude des documents

Des plantes bien de chez nous

Les Grandes Découvertes permettent la diffusion de plantes qui modifient les habitudes alimentaires en Europe. N'importe quel menu, aujourd'hui, à la maison ou au restaurant intègre les légumes et les fruits venus d'Amérique, d'Afrique ou d'Asie.

Un manuscrit indien

Les Aztèques étaient une tribu de l'Amérique centrale qui s'était imposée, au XVe siècle, à un ensemble de peuples très différents qui supportaient fort mal l'hégémonie de leurs envahisseurs.

À peu près au centre de l'État aztèque, une ville d'une beauté exceptionnelle avait été édifiée : Tenochtitlán (aujourd'hui Mexico). Comme à Venise, elle avait été construite sur des îlots reliés par un système de canaux. La structure de l'empire respectait l'organisation tribale, mais, au sommet de l'État régnait un empereur investi d'un pouvoir quasi divin.

Alors que sous bien des aspects la civilisation aztèque n'était pas sortie de l'âge de pierre (en particulier elle ignorait la roue et les véhicules), pour d'autres points elle était évoluée, à l'égal de l'ancienne Égypte et pratiquait une écriture à base de hiéroglyphes. Peu de manuscrits aztèques nous sont parvenus. Le plus célèbre, le *Codex Mendoza*, conservé à Oxford, a l'extraordinaire particularité de comporter une traduction espagnole réalisée au moment même de sa rédaction.

On explique en partie la facilité de la conquête espagnole, au Mexique comme au Pérou, par le fait que les populations asservies par un peuple dominant (Aztèques, Incas) se sont jointes à l'envahisseur espagnol, au moins dans un premier temps.

Les mines du Potosi

Dès le début du XVIe siècle, les conquistadores succèdent aux explorateurs. Les empereurs aztèques et incas sont détruits par les hommes de Cortez et de Pizarre entre 1519 et 1532. Une poignée d'hommes assoiffés de métaux précieux s'emparent d'immenses territoires et asservissent des dizaines de milliers d'Indiens. Après l'orpaillage des rizières des Antilles, ce sont les mines d'or et d'argent qui sont exploitées. Celles du Potosi sont situées à 4 000-4 500 mètres. Seuls les Indiens pouvaient supporter une telle altitude. Les conditions de travail sont épouvantables. Sur cette gravure de Théodore de Bry réalisée en 1602, on voit les Indiens qui tiennent une bougie d'une main pour s'éclairer et de l'autre abattent le minerai au pic. Pendant ce temps d'autres ouvriers chargent le minerai dans des sacs qui sont remontés à la surface grâce à deux échelles de corde.

La mortalité y est importante, l'ouvrier ne tient que quelques mois car il est atteint par la silicose ou la tuberculose. Les mines de Potosi sont d'une importance exceptionnelle, car jusqu'au XVIIe siècle, elles couvrent 70 % des importations de métaux précieux en Espagne.

Ainsi, l'intégration de l'Amérique à l'économie mondiale s'est soldée par une baisse vertigineuse des populations amérindiennes : estimée à 80 millions en 1492, elles ne sont que 10 millions en 1600.

Le coin du savant (p. 60)
La galerie des ancêtres (p. 61)

Ces pages sont à lire en classe et à la maison.

Qui a découvert l'Amérique ? met en évidence les voyages qui ont pu être réalisés avant **les grandes découvertes**. D'autres exemples peuvent être signalés, avec le Pacifique notamment, et les migrations polynésiennes.

La boussole met l'accent sur les instruments de navigation qui permettent la répétition assurée des grands voyages.

Magellan et **Jacques Cartier** sont parmi les navigateurs les plus célèbres. Chaque expédition est **un exploit**.

Chapitre 6

La Renaissance

*L*a Renaissance

PAGES 62-63

Il s'agit d'une révolution intellectuelle sans précédent mais aussi d'une révolution scientifique et technique dont les répercussions se feront ressentir dans les siècles suivants.

Pour mémoire

• Sur le plan de la chronologie, la période de la Renaissance et de l'Humanisme est contemporaine des voyages des Grandes Découvertes. Les courants naissent en Italie au XIVe siècle, ils se développent en France et en Europe entre le XVe et le XVIe siècle.

• L'imprimerie est l'outil de propagation des idées nouvelles, grâce à elle la lecture et l'écriture ne sont plus l'apanage d'une minorité. L'invention de l'imprimerie a été préparée dès la fin du Moyen Âge par l'introduction du papier venu de Chine et l'utilisation de bois gravés.

• La Renaissance et l'Humanisme placent l'Homme au centre des préoccupations. Leurs outils de réflexion sont la discussion et l'esprit critique. Ils glorifient l'héritage grec et romain de l'Antiquité au détriment de celui du Moyen Âge.

• Les savants tentent de dégager les sciences de la religion en s'interrogeant sur l'univers et l'individu. Leurs essais timides sont entravés par l'Église.

• La monarchie devient absolue : le roi se dégage des liens de la féodalité pour s'imposer à tous ses sujets. Elle renforce son pouvoir en créant une administration centralisée. Désormais tous les textes officiels sont rédigés en français qui devient la langue de l'État.

• La royauté concentre autour d'elle l'essentiel de la vie artistique et littéraire grâce au mécénat. En attirant les artistes, elle oriente les différents aspects de la Renaissance. Pour elle, c'est un moyen d'affirmer sa magnificence et son pouvoir.

• La toute-puissance de l'Église catholique est contestée par les souverains, les intellectuels et certains fidèles. Les conflits religieux de la seconde moitié du XVIe siècle provoquent de nombreuses guerres, notamment dans le royaume de France. Cependant, le protestantisme est adopté par toute une partie de l'Europe.

Étude des documents

Le château de Chambord

En 1519, le roi François Ier décide de se faire construire, à l'orée d'une forêt particulièrement giboyeuse, un nouveau château qui serait en quelque sorte le symbole de la puissance royale. Le style de l'édifice mélange la tradition médiévale à la mode de la Renaissance italienne.

Un château-fort existait, près de la forêt et sur la rivière du Cosson. Rasé, il a servi de base à l'édification du château Renaissance. La construction se fait essentiellement après 1526, pour loger François Ier. Elle sera terminée sous Henri II.

Le plan de Chambord est très apparent : c'est le plan du château féodal inscrit dans un rectangle et flanqué de tours rondes. Au centre, le donjon renferme un escalier unique desservant les quatre départements correspondant aux quatre tours. Le rythme des ouvertures corrige la sévérité de l'ensemble : arcades de la cour, grandes baies symétriques. Une décoration en relief souligne les étages des tours et des corps de bâtiments, tandis que des pilastres (colonnes engagées) « tirent » vers le haut et atténuent la massivité des formes.

Le plus original est le parti que l'on a tiré de la terrasse formée par le donjon démantelé. Tout un « village italien » a été construit, fait de tours, lanternons, cheminées, avec des effets de polychromie dus au mélange de la pierre et de l'ardoise. La lanterne centrale couronne le grand escalier intérieur. Soutenue par huit arcs-boutants, elle se termine par une fleur de lys exaltant la puissance de François Ier.

Un cabinet d'humaniste

L'artiste a représenté l'inventeur de la boussole, un certain Flavio Giova d'Amalfi en 1302-1303. On voit cet homme en train de vérifier la démonstration théorique qu'il lit dans un ouvrage. Pour cela il utilise un compas et une carte. Il a à sa disposition d'autres instruments de travail : deux globes dont l'un d'eux est constitué de cercles mobiles pour figurer le mouvement des astres autour de la terre. L'anneau le plus large représente le Zodiaque, il est incliné sur l'Équateur. À côté de nombreux ouvrages, on trouve un sablier pour la mesure du temps, un quadrant pour repérer la position des astres, des équerres, sans oublier l'énorme maquette de caravelle qui rappelle que ce savant était aussi un marin expérimenté. On voit donc que ces recherches touchent à la fois à la géographie, à l'astronomie, aux mathématiques, à la géométrie.

Repères chronologiques

Il s'agit d'un siècle, pendant lequel des faits d'ordre politique, culturel et scientifique se produisent en même temps. On insistera sur la richesse de ce temps court.

Les repères chronologiques de la frise ne sont pas de même nature, ils n'induisent aucune relation de cause à effet entre eux et sont une simple localisation en rapport avec le chapitre.

*U*n art nouveau

PAGES 64-65

Pour mémoire

• En France, la Renaissance correspond au XVIe siècle. Mais le mouvement a commencé beaucoup plus tôt en Italie. Le terme laisse imaginer un renouveau. Il évoque également le retour à une culture qui serait tombée dans l'oubli : celle de l'Antiquité.

• Contrairement à ce que l'on pourrait penser, l'Antiquité n'était pas ignorée au Moyen Âge. Par contre, le regard qui y portent les artistes et les savants, dès le XIVe siècle, en Italie, est différent. Cette curiosité était, de plus, stimulée par les savants grecs qui, fuyant l'avancée turque, s'étaient réfugiés en Italie, apportant avec eux nombre de manuscrits anciens et d'autres conceptions.

• La connaissance des langues latine, grecque, hébraïque, la recherche des œuvres antiques, la réflexion, facilitée par le perfectionnement de l'imprimerie, sur les auteurs anciens, tout cela portait à une étude érudite qui enthousiasmait les savants. Ils rêvaient de concilier la sagesse des anciens et la morale chrétienne et leur appétit de savoir était illimité. En France, le roi François Ier, qui leur était favorable, fonde pour eux en 1530 le Collège de France, où l'enseignement huma-niste contraste avec celui de la traditionnelle Sorbonne.

• Parallèlement, les arts connaissent un développement exceptionnel. C'est encore de l'Italie que proviennent les modèles qui inspirent l'Europe. C'est là, en effet, que se trou-vent des villes riches et actives (Florence, Venise, Rome...), des mécènes éclairés (les papes et les souverains) et que se manifeste l'intérêt le plus passionné pour toutes les choses de l'art. De plus, en Italie même, de nombreux vestiges antiques inspirent les architectes et les sculpteurs. C'est tout cela que les rois et la noblesse de France apprennent à connaître au cours des guerres d'Italie. Revenus chez eux, ils font construire des châteaux fastueux (sur les bords de la Loire, tout particulièrement). Chambord est l'exemple le plus frappant : il montre, de façon nette, l'amalgame entre les traditions héritées du Moyen Âge et les influences italiennes. Dans le même esprit, Pierre Lescot commence la construction de la cour du Louvre. La sculpture et la peinture adoptent progressivement les règles nouvelles. Jean Goujon crée des chefs-d'œuvre de grâce avec les nymphes de *la Fontaine des Innocents*, à Paris. D'autres arts comme le théâtre, la musique et la danse sont cultivés à la cour, et l'on s'inspire de thèmes antiques et païens.

Cette Renaissance française, si elle n'égale pas la culture italienne, ni surtout la culture espagnole contemporaines, produit des artistes talentueux. Parmi les écrivains, le prolifique Rabelais crée le personnage de Gargantua, prototype du prince français de la Renaissance, fin lettré, profondément confiant en la nature humaine : un véritable humaniste.

Étude des documents

Le modèle italien

La peinture italienne atteint les plus hauts sommets au XVIᵉ siècle et devient un modèle universel. À partir de cette époque, tout peintre ou tout artiste souhaitant le devenir fera un voyage en Italie. Mais, personne n'égalera la profondeur psychologique d'un Léonard de Vinci ou la puissance et la grâce d'un Michel Ange.

On sait que Léonard de Vinci, un admirable esprit universel, a peu produit de peintures. *La Joconde* est son plus célèbre tableau, et à juste titre : nul n'a su, comme Léonard de Vinci, représenter ce sourire transparent et énigmatique.

Les fresques de la Chapelle Sixtine, au Vatican, sont un sommet de l'art de la Renaissance. Michel-Ange, qui se considérait comme un sculpteur avant tout, a réalisé une œuvre écrasante, par sa dimension et sa signification. Il décore la voûte de la chapelle entre 1508 et 1512, quatre années où il travailla seul, et vécut allongé sur ses échafaudages. Douze ans plus tard, il accepte la commande du mur du fond de la chapelle, où il peint le *Jugement dernier*. Il l'achève en 1564.

Fête nautique à Fontainebleau

Au XVIe siècle, les rois de France n'ont pas de résidence fixe, mais leur style de vie acquiert quelques-unes de ses caractéristiques définitives. En effet, une suite nombreuse accompagne désormais le roi dans ses déplacements, la cour. Pour distraire cette maisonnée, on agrandit les jardins et l'on organise des fêtes. Politesse et usages se codifient. On ne se mouche plus dans les manches ou dans les objets. On s'exprime avec raffinement.

Des jardins aux loisirs, tout s'inspire de l'Italie.

À l'occasion des réceptions, comme ici la réception des princes polonais qui ont élu le futur Henri III pour leur roi, la reine-mère, que l'on reconnaît à ses vêtements de deuil, a organisé une fête à l'antique, sous la forme d'architectures provisoires qui évoquent les dieux et les déesses et donnent l'occasion de danses et de réjouissances diverses.

Devant le château, le parc déroule ses formes régulières et symétriques, avec ses massifs et ses bordures, ses jets d'eau et ses statues, toutes choses qui le distinguent du jardin médiéval, plus utilitaire.

La réception s'organise selon un rituel précis où la danse et la musique tiennent une place de plus en plus grande. La danse est fondée sur des figures au cours desquelles les couples évoluent gravement. L'orchestre est, une flûtiste mise à part, composée d'instruments à cordes : harpe, une sorte de guitare, et viole de gambe. On est encore loin de l'orchestre du XVIIIe siècle.

On remarque que la reine mère est assise près du siège de son fils, qui s'est levé et qui parle, au premier plan. Les deux diagonales qui structurent la scène se croisent exactement à cet endroit, montrant ainsi la place prééminente des souverains.

L'invention de l'imprimerie

PAGES 66-67

Pour mémoire

• Le développement économique, qui règne en Europe depuis la fin du XIVᵉ siècle, explique que l'écrit prenne une place plus importante. Il devient un outil de travail indispensable pour les marchands, banquiers, artistes.

• Sur le plan chronologique, la technique de l'impression du livre se décompose en trois périodes majeures :

– À la fin du Moyen Âge, le papier remplace le parchemin comme support de l'écriture. Le procédé des planches de bois gravé en creux est plus rapide que la transcription manuscrite des moines copistes. Mais ces progrès ne suffisent pas à répondre à la demande.

– Il semble que ce soit Gutenberg qui, vers 1450, ait imaginé des caractères mobiles réalisés selon un alliage à base de plomb qui leur permette de résister à l'usure.

– Au XVIᵉ siècle, Christophe Plantin simplifie les caractères d'écriture en créant les lettres romaines encore utilisées aujourd'hui. Grâce à la gravure sur plaque de cuivre, il révolutionne l'art de l'illustration.

Dès lors, le livre n'est plus un objet de luxe réservé à une minorité. Le nombre croissant d'exemplaires permet à un plus grand nombre d'accéder à la connaissance.

Grâce à l'imprimerie, la Bible est le premier livre le plus lu. Ainsi les fidèles ont directement accès aux textes religieux, certains sont publiés en langues nationales. Désormais, l'Église catholique n'est plus la seule détentrice du savoir religieux, elle est soumise à la critique des protestants.

Étude des documents

Un atelier d'imprimerie

Dans cet atelier, les ouvriers travaillent à l'impression d'un ouvrage. Les différentes phases du travail sont :

• **La composition** (au premier plan à gauche). Les lettres mobiles en plomb sont rangées dans une casse. Il s'agit de les prendre une à une pour composer les mots du texte à imprimer. Deux difficultés : – les lettres sont vues en miroir ;
            – on imprime en plaçant les lettres de la droite
            vers la gauche.

Les lettres sont placées dans des composteurs de façon à être mises en lignes et serrées. On ne voit pas cette opération sur le document.

• **L'encrage** (au centre et au fond). L'ouvrier utilise des tampons de feutre (balles) imbibés d'encre. Devant lui, le pot où il a préparé son encre.

• **La presse** (à droite). La page composée de caractères de métal (la forme), est posée sur une surface bien plane (le marbre) sous la presse. L'ouvrier intercale une feuille de papier entre le volet de la presse et la page composée et encrée. Il pousse sur la barre ; la vis de bois tourne et descend. Elle abaisse le plateau de la presse ; les lettres s'impriment sur le papier.

• Les feuilles sont mises à sécher sur les fils. Une fois séchées, l'apprenti les rassemble en tas. Au premier plan, le maître imprimeur surveille le travail.

Ce travail est salissant : tous ceux qui y participent d'une façon ou d'une autre portent des tabliers de protection.

Le matériel utilisé est construit essentiellement en bois, excepté les caractères qui sont en alliage.

Chacun a un travail bien déterminé, ce qui permet une production rapide.

L'observation des tâches et des vêtements de distinguer :
– celui qui dirige et surveille ;
– ceux qui ont un travail spécialisé ;
– ceux qui accomplissent des tâches secondaires : les manœuvres.

Les livres imprimés

L'imprimerie est une véritable révolution technique et intellectuelle du fait de l'accélération de la production des livres qu'elle permet. On remarquera la dextérité que représente la fabrication du livre, puisque tout est à l'envers, et le niveau culturel que cela représente : le typographe, jusqu'à la révolution de l'informatique, a été un ouvrier à part.

Des rois plus puissants

PAGES 68-69

Pour mémoire

Pour renforcer leur pouvoir, les rois de France se donnent des moyens :

• **militaires** : ils entretiennent une armée régulière équipée d'un armement tout nouveau, le canon.

• **administratifs** : ils se font représenter dans les provinces par les intendants. Ces derniers sont chargés de lever l'impôt. La tenue des registres paroissiaux d'état-civil doit assurer un meilleur dénombrement des habitants soumis à celui-ci. La création, dès 1539, d'une imprimerie royale permet de gagner en rapidité et en efficacité dans la diffusion des édits royaux.

• **juridiques** : désormais les textes de lois ne sont plus rédigés en latin mais en français.

• **pour glorifier leur pouvoir et leur personne royale** : en développant le mécénat. Ils aident les artistes en les logeant, en leur passant des commandes et en achetant leurs œuvres.

Mais ils sont incapables d'éviter les guerres de religion qui opposent catholiques et protestants et plongent le pays dans le chaos.

Étude des documents

La fonderie de canons

Dans cette fonderie on refond des canons de bronze. Le soufflet qui active le foyer et permet d'obtenir des températures élevées est actionné par un homme qui fait tourner une cage d'écureuil. Cette technique était déjà employée dès l'Antiquité romaine et au XVe siècle, pour soulever des charges.

• Le tableau accroché au-dessus de la porte de la coulée montre un chimiste préparant de la poudre à canon.

• Le bronze en fusion est coulé dans un moule de sable. Une fois le canon démoulé, il est foré : travail délicat qui prendra plusieurs jours. Il ne reste plus que les finitions : l'ouvrier, debout à gauche, au premier plan, finit le canon au ciseau, tandis qu'un autre, assis à l'extrême gauche perce le grain de lumière ; c'est le trou par où on met le feu à la poudre.

• Les vêtements des ouvriers de la fonderie montrent que, pour la plupart, il s'agit de gentilshommes. Le métier de fondeur, comme celui d'imprimeur, est noble. Il représente une profession admirée et appréciée.

• En haut à droite de la gravure, on trouve une scène de bataille. On voit les fortifications sauter sous les boulets des canons installés sur la rive extérieure des fossés. Les dégâts deviennent importants car les boulets de pierre sont remplacés par des boulets creux qu'on remplit de poudre et de mitraille.

À noter que les canons sont montés sur des chars à deux roues appelés affûts. Le déplacement des pièces d'artillerie en est facilité.

Ces innovations (canons mais aussi arquebuses) provoquent des transformations économiques importantes. Seuls les États les plus riches sont capables de soutenir les frais d'une guerre. On notera que François Ier doit sa victoire contre les Suisses à l'emploi des canons à Marignan en Italie. C'était en 1515.

Un roi de la Renaissance

Une iconographie royale se met en place au XVIe siècle, avec François Ier : assis ou debout le roi, représenté de trois quarts, repire la majesté. Distinct des gens de sa cour par le luxe de ses habits et le dais royal derrière lui, son geste est celui de l'autorité au repos.

Si le chien accompagne le noble dans toutes ses représentations depuis le Moyen Âge, la présence de la petite guenon introduit une note exotique, bien de son temps.

Prince de la Renaissance, tout comme Pantagruel, François Ier écoute les belles lectures des sages anciens. À travers lui, l'usage du grec est valorisé.

*L*es guerres de religion

PAGES 70-71

Pour mémoire

• Au début du XVIe siècle, les hommes sont inquiets de leur salut et se sentent solitaires face au jugement de Dieu : les papes délaissent leurs devoirs de chef de l'Église et le clergé est surtout préoccupé par ses intérêts matériels.

• Luther, professeur de théologie à Erfurt, s'oppose au pape : il pense que ce ne sont pas les œuvres humaines qui sauvent l'homme mais la foi seule. Il crée une église nouvelle où la liturgie est dite en langue vulgaire et où les pasteurs sont nommés par les princes. Ceux-ci adhèrent massivement au luthérisme et quand Charles Quint veut les faire revenir au catholicisme, ils protestent (d'où le nom de protestants).

• En France, certains humanistes, face aux abus de l'Église, veulent réformer la religion mais ils se heurtent à François Ier qui les poursuit comme hérétiques. Calvin, réfugié à Genève, développe les idées de Luther et fonde une académie qui forme des prédicateurs. Genève devient le centre de diffusion du protestantisme en Europe et en particulier en France où l'on compte vers 1550 plus de 2 000 églises ayant adopté la religion réformée.

• L'église catholique réagit et accomplit sa propre réforme et mène une entreprise de reconquête.

• Pendant quarante ans, en France, des luttes opposent catholiques et protestants dans des conflits autant politiques que religieux. Ces guerres ne sont pas continues mais sont marquées par des atrocités comme le massacre de la Saint-Barthélémy, le 24 août 1572, qui fait 3 000 victimes chez les protestants.

Étude des documents

Le temple calviniste de Lyon en 1561

Les protestants suscitent une nouvelle architecture : le temple est une salle ronde ou rectangulaire sans chœurs ni chapelle. Tout le monde, quel que soit son sexe ou son âge, se réunit pour entendre le pasteur. On remarquera la simplicité des vêtements et les nombreuses décorations de fleurs de lys : les protestants sont fidèles sujets du roi de France.

Catherine de Médicis en prière

Il s'agit d'un autel portatif qu'utilisait la reine lors de ses déplacements. On reconnaît son chiffre entrelacé avec le H de son époux disséminé régulièrement. Elle est représentée en prière dans sa chapelle privée. Sur la base de l'autel, on reconnaît la crucifixion et sur le haut l'Annonciation. Sur le petit fronton, à nouveau la crucifixion et sur chaque volet, des épisodes de la vie du Christ. À gauche, l'Annonciation et le baiser de Judas, à droite le portement de croix et la descente de croix. On remarquera le style à l'antique de ces scènes. L'ange de l'Annonciation, en particulier, porte le caducée (le bâton autour duquel s'enroule un serpent) qui dans l'Antiquité, accompagne Hermès (Mercure) le dieu des voyageurs.

Ce petit autel est en émail et en or. Il témoigne du goût de la reine qui par ailleurs était ouverte aux débats de son temps.

Le coin du savant (p. 72) La galeries des ancêtres (p. 73)

Ces pages sont à lire en classe et à la maison.

Galilée et **Léonard de Vinci** représentent bien cette époque où l'on cherche à reculer les limites de la connaissance, parfois au péril de sa vie.

Michel-Ange, comme Léonard de Vinci, compte parmi les plus grands artistes que l'humanité ait produit.

Rabelais est un personnage également représentatif : un prêtre ouvert à la connaissance universelle, mais également observateur critique de son temps.

Chapitre 7

Au temps
des rois absolus

Au temps des rois absolus

PAGES 74-75

*Le gouvernement des rois absolus est celui de
la mise en place d'une administration efficace
et de principes économiques rigoureux.
Le contraste est fort entre une minorité qui vit
dans le luxe et la masse des habitants du royaume
qui vivent pour la plupart, dans la médiocrité,
sinon dans la gêne.*

Pour mémoire

• Cette période est marquée par des permanences :
– l'évolution du cadre de vie urbain et rurale reste faible ;
– 90 % des sujets continuent à vivre à la campagne ;
– les techniques de travail évoluent peu, tant pour les travaux des champs que dans l'artisanat ;
– l'univers social des villes et des campagnes reste cloisonné, la survivance des droits féodaux fait l'unanimité contre les seigneurs laïcs et religieux.

• À partir du XVIe siècle, l'élargissement du monde connu provoque de profonds bouleversements :
– En France le pouvoir royal poursuit son affirmation. Au XVIIe siècle la notion de monarchie absolue est portée à son

paroxysme symbolique. La cour est fixée à Versailles où siège le gouvernement, tandis que les bases d'une économie dirigée sont mises en place sous l'égide de Colbert.

– La société d'ordres héritée du Moyen Âge se transforme : à la ville, la bourgeoisie acquiert progressivement le pouvoir économique, tandis qu'à la campagne une majorité de paysans souffre de conditions de vie précaires dans un contexte de crise agricole ou de ravages dus à la guerre.

Étude des documents

Un repas de paysans

Il s'agit d'un des plus célèbres tableaux des Frères Le Nain. Autour d'une table, une famille est réunie : vieillards, hommes et femme d'âge mûr, enfants. Le personnage central est peut-être un visiteur.

Les verres fins et l'instrument de musique, la fenêtre aux verres sertis de plomb contrastent avec les guenilles et les pieds nus. On sait que les Frères Le Nain ont sûrement voulu évoquer, à travers une situation ordinaire, le thème de l'eucharistie. Il ne s'agit donc pas, à proprement parler, d'un repas de paysans, mais d'une évocation religieuse qui est d'autant plus forte qu'elle a pour cadre l'espace des humbles. On sait cependant que les Frères Le Nain avaient une expérience directe et sensible de la vie paysanne, à travers leur petite propriété de Bourguignon, près de Laon. On peut donc penser que l'ambiance qui se dégage de ce tableau est parfaitement authentique.

Le château de Versailles

Louis XIII avait fait construire en 1624 un petit pavillon de chasse sur une butte dominant le village de Versailles, au milieu de bois, de marécages et d'étangs particulièrement giboyeux. À partir de 1632, Louis XIII transforme ce pavillon de chasse en un petit château de briques couvert d'ardoises. En 1662, Le Vau qui a dessiné un projet d'ensemble édifie les quatre pavillons extérieurs.

En 1678, Louis XIV décide de s'installer définitivement à Versailles. Le Vau est mort. Il confie à l'architecte Mansart le soin de réaliser l'agrandissement du château. Versailles redevient pour plusieurs années un vaste chantier, mais acquiert sa physionomie définitive : côté cour, les quatre pavillons extérieurs de Le Vau sont réunis en deux ailes fermées par une deuxième grille. Côté jardin, Mansart édifie la célèbre Galerie des glaces.

Ce château gigantesque a été imité partout en France et à l'étranger. Pendant plus de cent ans, il a été le modèle et la référence en architecture.

Par l'étude du document on prend conscience que l'organisation générale du château est la traduction architecturale du pouvoir royal sous Louis XIV ; les principales allées des jardins, du canal et des chemins d'accès convergent vers un centre : la chambre du Roi, qui se situe elle-même sur l'axe de symétrie qui passe par le milieu du château.

Repères chronologiques

On opposera le règne personnel de Louis XIV, dans sa durée, à la période concernée : il s'agit du temps court de l'expérience humaine. Cependant la portée du modèle absolutiste à la Louis XIV hantera tout le siècle suivant.

*L*e roi et la cour

PAGES 76-77

Le roi règne sur Versailles, il impose son pouvoir absolu :
• en créant une nouvelle organisation du gouvernement qui lui permet d'imposer ses décisions en toutes circonstances ;
• en étant en liaison régulière avec les différentes provinces, grâce à un service de courrier et aux intendants qui agissent en son nom ;
• en soumettant la noblesse. Fixée à Versailles, elle constitue la Cour.
Désormais, les grands féodaux sont soumis au roi comme tous les autres sujets.

Étude des documents

Louis XIV en son Conseil, 1672

Dans une des salles du château au décor de lambris et de statues, Louis XIV tient conseil. On le reconnaît à son habit pourpre brodé d'or, il porte en écharpe le bandeau fleurdelysé, il est assis à une extrémité de la longue table du Conseil recouverte d'un drap vert, dans un fauteuil. Ses six principaux conseillers sont assis sur des sortes de tabourets, les autres restent debout. À l'exception de quelques conseillers occupés à préparer un dossier, tous les autres ont le regard tourné vers le roi. Ils ont une expression de respect et de soumission. Le geste du roi indique clairement la source du pouvoir. Le contraste est fort entre les conseillers vêtus de noir, car ce sont des bourgeois, et le roi, en habit de cour. Quelques courtisans luxueusement vêtus sont présents mais ne participent pas.

Ce tableau est une des représentations les plus évidentes de la nature du pouvoir qu'entend exercer Louis XIV.

On peut le comparer avec la miniature du XIIIe siècle, page 48 du manuel, où l'on voit l'archevêque de Rouen qui remet au roi le recueil des lois de Normandie. Bien que le roi, sur cette miniature, soit plus grand que tous, ce qui montre sa place, et bien que son allure soit décidée, il est seul face à un groupe important, composé de gens d'église qui ont revêtu leurs habits et de gens de la noblesse (?) et du tiers. Il accepte du plus autorisé d'entre eux, l'archevêque de Rouen, le recueil des lois de Normandie, ce qui veut dire qu'il s'engage à les respecter. Nous sommes devant une situation de contrat, non de commandement. Le public est respectueux, non soumis.

On voit donc deux situations très différentes, qui supposent deux modes de gouvernement très différents.

Une représentation d'une pièce de théâtre dans la cour de marbre

On pourra comparer ce document et celui de la page 65 du manuel : Fête nautique au château de Fontainebleau. Entre-temps, les usages de la cour se sont codifiés : c'est l'étiquette, que chacun doit respecter scrupuleusement et qui règle de façon impitoyable la vie de Versailles. Au désordre bon enfant des princes de la Renaissance, on opposera la composition stricte du spectacle comme des spectateurs, surveillés par une ligne d'hommes en armes : on ne plaisantait pas, à la cour du Roi !

*L*e grand siècle

PAGES 78-79

Pour mémoire

Pendant la première moitié du XVIIᵉ siècle, la France se dégage progressivement des influences étrangères et élabore une culture, appelée classicisme ou grand style, qui devient, à partir de 1660-1670, le modèle imité par toute l'Europe.

L'art classique a assimilé les leçons de l'Antiquité. Par la volonté de Louis XIV, il devient un art officiel, fait de régularité, de mesure et de grandeur. Il est particulièrement représenté, en architecture, par la colonnade du Louvre de Perrault et le château de Versailles que réalisent Le Vau et Mansart. En littérature, il faut distinguer deux générations : La Fontaine et Corneille appartiennent plutôt à la période dite « baroque » où l'art aime la recherche des effets et où la liberté d'expression est encore réelle. Molière et Racine participent davantage de la période classique. Ils animent les belles soirées des jardins de Versailles. Ils doivent leur succès au roi.

Tout au long du XVIIᵉ siècle, les sciences progressent, avec la connaissance du monde. Mais les travaux de Galilée en astronomie, de Harvey sur le corps humain, etc., rencontrent le scepticisme, voire l'opposition la plus acharnée. Aussi, du point de vue de la civilisation, le siècle de Louis XIV marque-t-il le pas, après l'époque d'intense bouillonnement intellectuel que représentent la Renaissance et le début du XVIIᵉ siècle. Pourtant, l'impact de cette étape est énorme, et par son rayonnement et par ses promesses : la génération qui naît à la fin du XVIIᵉ siècle et grandit sous les dernières années du règne de Louis XIV accumule les énergies qui vont éclater peu de temps après. L'exemple le plus révélateur est sans doute celui de Voltaire, né en 1694. Quand Louis XIV meurt, il a 21 ans : l'âge de la majorité.

Louis XIV en habit de sacre

C'est pour répondre au souhait de son petit-fils Philippe V d'Espagne que Louis XIV fit entreprendre ce tableau.

Grand-père avec un corps de jeune homme, le roi y semble hors du temps. Ce tableau rassemble le roi symbolique avec les attributs du pouvoir et le roi physique avec un portrait le représentant à différents moments de sa vie.

Tous les insignes de la royauté figurent sur ce tableau :

• le grand manteau de sacre des rois Capétiens parsemé de lys dorés sur un fond bleu ;

• la lourde épée dans un fourreau orné de pierres précieuses ; c'est « Joyeuse » l'arme remise par Dieu aux rois de France pour accomplir sa justice ;

• le lourd collier en or supportant la grande croix de l'Ordre du Saint-Esprit ;

• le sceptre, bâton de vie et de mort, prolongeant la main droite du roi ;

• la couronne, posée sur un coussin ;

• la main de justice, à gauche de la couronne, dont la position des doigts signifie autorité et clémence.

Les couleurs, les matières, les éléments du décor renforcent l'idée de puissance du roi.

Louis XIV crée l'Académie des Sciences, 1667

Ce tableau est un exemple de l'art officiel voulu par Louis XIV, tout comme celui de la page 84 où on le voit visitant les Gobelins. Colbert présente les membres de l'Académie des Sciences à Louis XIV. On distingue aisément les catégories sociales en présence à leur costume. On pourra comparer les objets et les instruments à ceux du cabinet de l'humaniste page 63 ; ce qui était l'environnement culturel de quelques érudits devient, sous Louis XIV, le cadre et l'équipement d'une institution.

L'armée du roi

Pour mémoire

• Dès la fin du Moyen Âge, des inventions nouvelles, telles que la poudre et le canon ont modifié les conditions de la guerre. Désormais on assiste à une guerre où l'infanterie joue un rôle essentiel.

• Des fortifications d'un type nouveau sont mises en place pour résister aux attaques des canons.

• Louis XIV poursuit une politique de conquêtes et de consolidation des frontières. La base de son action est l'armée, formée de fantassins (« la chair à canon »...).

Par un système de racolage, chaque capitaine recrute sa propre compagnie grâce à des sergents recruteurs qui s'efforcent d'obtenir les engagements nécessaires par tous les moyens : cadeaux et promesses fallacieuses, violences et enrôlements forcés. En 1688, fut mise en place la milice, recrutée par tirage au sort (un célibataire par paroisse).

L'absence de casernes, puis leur insuffisance obligeaient le soldat à loger chez l'habitant. La population devait fournir aux hommes de troupe pot, feu, chandelle, lit ou paillasse. Toutefois les soldats, qui n'étaient pas des anges, exigeaient plus et étaient armés. Les archives, encore aujourd'hui, conservent nombre de protestations, indignées, de listes de chapardages et de déprédations.

Étude des documents

Le siège de Besançon par les armées de Louis XIV

Une impression de force et de discipline se dégage de ce tableau.

• Au loin, on distingue la ville, dont on a représenté les remparts et les lignes avancées. Ces fortifications ont une allure bien particulière : plan en étoile, murailles en biseau relativement peu élevées par rapport aux maisons qui se trouvent à l'intérieur.

• Le camp est installé face à la ville. Bien ordonné, il contient 400 à 500 tentes. À gauche du chemin se trouve l'infanterie, à droite les cavaliers. Au fond, sont installés les « services » divers.

• Au premier plan, arrive l'armée des renforts conduite par le roi. Au second plan, à droite, se situe la ligne d'attaque ; on note des tranchées en zigzag et des batteries de canon. Les assaillants ont également installé plusieurs batteries sur les collines qui entourent la ville. Plus de vingt mille coups de canon seront tirés contre Besançon.

Les travaux de fortification

Une comparaison avec la forteresse médiévale montre que ces fortifications sont adaptées à l'apparition de l'artillerie.

Elles offrent le moins de cibles possibles (en faisant disparaître les tours notamment). Elles augmentent la résistance des murs (en pratiquant des levées de terres alternant avec des fossés de circulation, en évitant le choc de plein fouet), d'où l'inclinaison des murs vers l'intérieur, et la disposition en étoile qui facilite le ricochet des boulets et évite la pénétration.

Malgré l'ampleur des constructions, tout se fait avec l'énergie humaine et l'énergie animale.

La carte (p. 200)

Elle précise les conquêtes de Louis XIV ou les acquisitions faites sous son règne. En 1715, l'hexagone actuel était presque atteint. Cependant, à l'intérieur des frontières, les différents pays gardaient différents statuts. Ainsi, jusqu'en 1791, l'Alsace et le Roussillon étaient-ils « pays étrangers ».

A la ville

PAGES 83-84

Pour mémoire

• Le cadre urbain a peu évolué depuis le Moyen Âge, il reste un espace fermé, protégé par des remparts. Néanmoins, de nouvelles demeures se multiplient (les hôtels particuliers) et des aménagements (places, avenues) aèrent le tissu urbain hérité du Moyen Âge.

• Le poids démographique des villes reste modeste, mais son rôle est de première importance pour les activités commerciales. C'est là que la bourgeoisie acquiert progressivement le pouvoir économique.

• Le travail artisanal s'effectue dans les ateliers. Les ouvriers sont regroupés en associations professionnelles très hiérarchisées, ce sont les corporations. Elles sont dirigées par les maîtres qui ont sous leurs ordres un petit nombre de compagnons et d'apprentis.

Étude des documents

Un marché à Paris

La campagne environnante approvisionne la ville en nourriture, en bois, en fourrage, en bétail. Sur ce marché, on peut acheter des volailles vivantes ou mortes, du petit gibier et des miches de pain. Les vendeurs se servent de paniers de transport comme étals. On notera la variété de leur taille et de leur forme.

Les clients sont issus de toutes les catégories sociales et on constate d'après les tenues vestimentaires que, du noble au petit vendeur, les écarts de richesse sont grands.

À partir du XVII⁰ siècle, l'emploi de la pierre dans la construction se généralise. On ouvre de larges avenues, de vastes places. Ici on voit comment les quais sont aménagés au bord de la Seine : parapets, escaliers, sol pavé permettant de se promener sur les rives. Pour traverser la Seine on emprunte le pont de pierre qu'on aperçoit à l'arrière-plan à gauche avec la statue du roi. Sur l'autre rive, on observe des immeubles et les façades d'hôtels particuliers.

Un atelier de cartes à jouer

À l'intérieur, la fabrique de cartes est remplie de gens affairés. On peut résumer les différentes opérations en suivant le voyage d'une carte dans l'atelier.

Ce document fait apparaître l'absence d'organisation rationnelle dans la production.

En ouvrant une large baie au fond de l'atelier, le peintre a voulu nous renseigner sur l'activité qui règne sur les berges de la Seine. On observera les barques, les bateaux transportant des marchandises, les promeneurs, la statue équestre du roi.

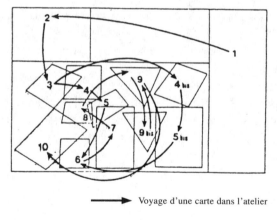

1. Presse
2. Séchage
3. Tri
4. Tri des cartes en noir
4 bis. Tri des cartes en rouge
5. Coupe des cartes noires
5 bis. Coupe des cartes rouges
6. Classement par jeux
7. Coloriage au pochoir des cartes historiées
8. Travail au pinceau
9. Mise en paquets
9 bis. Vérificateurs ou joueurs
10. Vendeuse liant les paquets

→ Voyage d'une carte dans l'atelier

Les protestations ouvrières

Les documents-textes accessibles aux jeunes élèves sont peu nombreux. On appréciera celui-ci qui permet d'établir le quotidien d'un apprenti-imprimeur. En fait, celui-ci est astreint aux corvées et aux servitudes du métier avant d'y avoir vraiment accès.

Manufactures et grand commerce

PAGES 84-85

PAGES 84-85

Pour mémoire

Pour financer la politique de prestige du roi et pour limiter les achats à l'étranger, Colbert, ministre de Louis XIV cherche à augmenter les ressources du royaume en créant des manufactures, comme celle des Gobelins où l'on fabrique des tapisseries de luxe. Des compagnies maritimes sont créées pour développer le commerce avec les « îles à sucre » : les Antilles.

Étude des documents

Visite des Gobelins par Louis XIV

Cette tapisserie des Gobelins nous rappelle la visite du roi dans cette même manufacture.

Nous nous trouvons dans une salle de la manufacture. Un grand nombre d'ouvriers s'affairent. La plupart d'entre eux sont en chemise et en cheveux (c'est-à-dire sans perruque). Certains portent un tablier. On a l'impression d'assister à un vaste déménagement. Les uns apportent de lourds objets d'orfèvrerie, d'autres des tables de marqueterie ; des tapis sont entassés dans un coin alors qu'un ouvrier monté sur la cheminée décroche une tenture et que deux hommes (dans le coin droit) arrivent avec un tapis enroulé sous le bras. Ces deux personnes ne semblent pas être des ouvriers.

Le roi, est en visite avec des bourgeois (en noir) et des membres de la Cour (vêtements chamarrés). On lui présente les plus belles réalisations de la manufacture. Son geste indique qu'il est en train de demander des informations à l'homme vêtu de noir auprès de lui, sans doute un responsable.

Louis XIV se distingue bien par son costume plus voyant et plus chamarré que les autres. Il est également plus grand, ce qui est faux par rapport à la réalité (Louis XIV était de taille moyenne) mais vrai quant au symbole (le roi est au-dessus de ses sujets).

Le bac

Au XVIIᵉ siècle, la rivière est un axe de communication large-ment utilisé. Orléans est pendant toute cette période le grand port fluvial français : la Loire, signale Braudel, est le plus commode des cours d'eau du royaume, le plus large en son lit, le plus long en son cours… et sur lequel on peut aller à la voile dans le royaume sur plus de cent soixante lieues, ce qui ne se trouve en aucun fleuve de France. D'où l'intérêt de la chaussée pavée qui relie Orléans à Paris.

La construction de canaux modifie sensiblement les possibilités de la navigation fluviale. En 1649, le canal de Briare, long de 53 km, équipé de 40 écluses, relie la Loire à la Seine. Cependant la circulation reste fort lente : 4 km/h environ. La rivière et le canal relient, mais aussi séparent : le passage se fait soit par pont, soit par bac. L'un et l'autre sont suffisamment rares pour que beaucoup de passants recherchent des gués. Les ponts sont en pierre mais ils peu-vent être en bois et même établis sur des barques. Le bac permet le passage des gens, des bêtes, des machines ou des marchandises, et bien que fort lent, il reste un moyen précieux pour se rendre d'une rive à l'autre sans faire un trop grand détour.

Le parfait négociant

Cette gravure qui illustre un ouvrage de Savary (1675) est inté-ressante à double titre :

• elle permet d'analyser et de prendre conscience de l'activité maritime, évidemment amplifié ici : bateaux de commerce, déchar-gement des ballots sur les quais, portages divers, discussions entre marchands.

• elle met en scène, au premier plan, le parfait négociant, qui doit connaître les taux de change, la correspondance des poids et mesures, le maniement de la monnaie, des lettres de change, et qui doit savoir calculer les prix d'achat, de vente, de revient etc. Les marchands, instruits de par les nécessités de leur métier, constitue-ront un groupe acquis aux idées de progrès.

A la campagne

PAGES 86-87

Pour mémoire

> • Au XVIIe siècle, 90 % de la population du royaume vit et travaille à la campagne.
>
> • Une grande majorité de paysans souffrent de conditions de vie précaires dues soit au contexte économique (crise agricole) soit au contexte politique.
>
> • Les activités rurales sont diverses… À côté des activités purement agricoles, l'artisanat est diffusé partout et procure de précieux revenus d'appoint.
>
> • Les techniques agricoles ont peu évolué depuis le Moyen Âge.
>
> • Les disparités sociales sont grandes ; cependant les droits féodaux dus aux seigneurs laïcs ou ecclésiastiques sont unanimement dénoncés.

Étude des documents

Le noble, le paysan, la mouche et l'araignée

Cette scène symbolise les relations entre le seigneur et le paysan : *Le noble est l'araignée et le paysan la mouche*. Le paysan rend visite à son seigneur pour lui payer les redevances. Celui-ci est assis dans un fauteuil, richement habillé, son lévrier assis à ses pieds. Il reçoit en nature un gros sac de céréales et un petit panier de fruits et de légumes ; il reçoit surtout un sac d'écus.

Le seigneur est comparé à une araignée car, comme elle, il attend sans rien faire que le paysan soit pris au piège incontournable des redevances et qu'il lui apporte sa nourriture.

Les phrases qui concernent le paysan sont :
Ce pauvre apporte tout, blé, fruit, argent, salade. / À la mouche qui vole, il ne faut point d'ailes. / Il faut payer ou agréer. / À tout seigneur, tout honneur. / Maigre comme un lévrier d'attache.

Celles qui concernent le noble sont :
Plus on a de moyens, plus on veut en avoir. / Ce gros milord assis, prêt à tout recevoir, ne lui veut pas donner la douceur d'une œillade. / Plus a le diable, plus il veut en avoir.

Les conditions de vie des paysans deviennent de plus en plus précaires car le roi fait augmenter les impôts pour faire face aux dépenses croissantes (construction du château de Versailles, fêtes à la cour, guerres continuelles).

L'agriculture reste routinière, elle ne permet pas aux paysans d'augmenter leurs revenus, aussi la lourdeur des impôts paraît particulièrement injuste et les révoltes sont nombreuses à cette époque.

La composition sociale du village de Chalandry

Ce document donne la composition sociale du village de la communauté villageoise seulement car les privilégiés (noble, clergé, bourgeoisie privilégiée) ne sont pas mentionnés.

Le repos du tisserand

Cet intérieur de tisserand n'est composé que d'une seule pièce qui sert à la fois de cuisine à droite et d'atelier à gauche.

Le mobilier est sommaire : un lourd bahut, une table, un banc, une chaufferette posée à terre.

Pour faire la cuisine, la femme dispose de peu de vaisselle : un chaudron, pendu dans la cheminée, deux moules, deux cruches, un panier et une corbeille suspendue.

Les provisions sont maigres, un jambon, un morceau de lard, quelques saucisses suspendus à la poutre, une miche de pain posée sur la table.

Le tisserand fume sa pipe ; l'usage du tabac s'est répandu dans les campagnes, mais il coûte cher.

Cette famille ne mange à sa faim que par un travail incessant.

À sa gauche, près de l'unique fenêtre, le métier à tisser entièrement en bois. Deux pédales situées sous le métier permettent d'abaisser ou de relever les fils de la chaîne. La tension des fils est assurée par un système de crémaillère, l'enroulage du tissu se fait à partir d'une sorte de treuil.

Le coin du savant (p. 88)
La galerie des ancêtres (p. 89)

Ces pages sont à lire en classe et à la maison.

Si en France les découvertes sont ralenties par la pression des autorités, surtout religieuses, il n'en est pas de même dans l'Europe protestante. C'est là qu'effectivement ont lieu les grands débats : Descartes se rend chez la reine Christine de Suède, Papin, Français protestant réfugié en pays allemand invente sa marmite destinée à cuire les os les plus rebelles pour alimenter les pauvres gens. En Angleterre, Harvey reprend et définit la circulation du sang.

Louis XIV illustre son siècle, par l'identification qu'il a lui-même assurée entre le trône et sa personne. Parmi les auteurs (plus nombreux, parce que plus libres au cours de la première moitié du XVIIe siècle), il faut citer La Fontaine dont la poésie est toujours actuelle. Sa verve critique lui a valu d'être marginalisé par Louis XIV.

Chapitre 8

Les transformations du XVIIIe siècle

*L*es transformations du XVIIIe siècle

PAGES 90-91

Le XVIIIe siècle est une période d'expansion économique, sociale et culturelle.
L'œuvre des philosophes a une portée mondiale, toujours actuelle.

Pour mémoire

• Au XVIIIe siècle, l'intensification des relations commerciales et le démarrage de la production industrielle vont constituer une source de profits considérables pour la haute bourgeoisie : financiers, armateurs, marchands, fabricants.

Si la société reste cloisonnée en « ordres », des évolutions se précisent et les passerelles se multiplient pour ceux qui ont de l'argent, du talent ou de l'esprit.

• Dans ce contexte, le XVIIIe siècle est dans tous les domaines celui des idées nouvelles : nouvel art de vivre, goût pour les techniques. On vient surtout se retrouver dans les salons, les académies de lecture ou les cafés pour échanger des idées et évoquer les grands problèmes.

De ces réunions va naître une véritable « opinion publique » que les souverains ne pourront plus ignorer.

Les riches bourgeois – surtout des femmes – organisent **des salons** qui rassemblent les artistes et les **philosophes** les plus brillants.

Grâce à ces salons, la bourgeoisie pénètre en force dans les forteresses de la nouvelle pensée.

• Si les Lumières ne sont pas à proprement parler une philosophie, les philosophes ont en commun une certaine attitude d'esprit. Face aux ténèbres du fanatisme et de l'intolérance, ils veulent dresser les lumières de la **raison**. Ils se livrent tous à une critique systématique de la société de leur temps.

• Influencés par les idées venues d'Angleterre technologiquement plus en avance que la France, les Lumières se caractérisent par un intérêt important pour les sciences d'observation et les techniques.

Comme le philosophe, l'architecte des Lumières croit en la raison et au progrès. Sa recherche d'idéal n'est cependant pas exempte d'une certaine utopie.

• Les façades maritimes des pays d'Europe vivent une expansion économique sans précédent ; d'autant plus que les voyages d'exploration se poursuivent aux XVIIe et XVIIIe siècles.

• L'activité commerciale évolue : désormais le commerce international s'organise autour des colonies, sur la base du commerce triangulaire et du trafic d'esclaves.

Ainsi le travail servile n'est plus le fondement de l'économie des pays d'Europe ; il est exporté et devient la base de l'activité économique de l'Amérique coloniale.

Étude des documents

Le salon de Madame Geoffrin

À partir de 1749 et pendant plus de vingt-cinq ans, madame Geoffrin, l'épouse de l'administrateur de la manufacture des glaces de Saint-Gobain, tient un salon que fréquentent les artistes et les gens de lettres.

Peinte en 1814 pour l'impératrice Joséphine cette toile représente une réunion idéale des personnalités célèbres qui ont marqué le XVIIIe siècle. Placé sous le buste de Voltaire, l'acteur Lekain (assis à la table) et l'actrice mademoiselle Clairon font la première lecture de la tragédie de Voltaire : *L'Orphelin de Chine*. Tous les personnages représentés sont identifiables : au premier plan, à gauche, Buffon se retourne ; à droite de la table on voit d'Alembert et à côté de lui, Helvetius. Madame Geoffrin est assise à droite, habillée en bleu, entre le prince de Conti et Fontenelle, qui, âgé de 98 ans, semble somnoler.

L'affaire Calas : en 1761, Jean Calas, calviniste, est accusé d'avoir assassiné son propre fils Marc-Antoine, afin de l'empêcher de se faire catholique. Il sera rompu vif sur la roue le 10 mars 1762.

Convaincu de l'innocence de Calas, Voltaire va déployer une énergie extraordinaire pour obtenir la révision du procès. Il rassemble tous ses amis et paie lui-même les meilleurs avocats. La diffusion d'écrits polémistes porte l'affaire devant l'opinion. Voltaire obtient un premier arrêt en faveur de Calas et saisit l'occasion de stigmatiser le fanatisme dans son « traité » sur la Tolérance qu'il publie en 1763.

Il obtiendra finalement la cassation du jugement et, en 1765, la réhabilitation de Calas.

La ville de Chaux

En 1773, les forêts proches de Salins ne permettent plus de fournir la quantité de bois nécessaire pour chauffer les immenses chaudières où l'on fait évaporer l'eau saline extraite du sol.

Un arrêt royal décide que l'on transporterait les eaux de Salins jusqu'à Arc-et-Senans, proche de la forêt de Chaux, où l'on construirait une nouvelle saline.

Les travaux sont confiés à Claude Nicolas Ledoux, architecte déjà célèbre pour l'ampleur et l'audace de ses réalisations.

En 1793, monsieur Ledoux conçoit pour Arc-et-Senans un projet grandiose, reflet de ses préoccupations sociales.

Il imagine une ville idéale dont la saline serait le centre et qui comporterait marché, bains publics, école, maison de récréation, lieu de culte… le tout réalisé à partir de formes géométriques pures. Cette vision idéale place Ledoux parmi les précurseurs de l'architecture moderne. Il l'explique ainsi : *… j'ai placé tous les genres d'édifices que réclame l'ordre social, on verra des usines importantes, filles et mères de l'industrie, donner naissance à des réunions populeuses* (c'est-à-dire des concentrations de population). *Une ville s'élèvera pour les enceindre et les couronner.*

Ledoux prévoit également des jardins contigus aux ateliers et aux logements des ouvriers afin de donner à chacun le goût des plaisirs modestes et détourner les ouvriers de la tentation (déjà !) du bistro.

En fait, seule la moitié de sa ville idéale sera réalisée. Toujours debout, ces bâtiments forment un ensemble impressionnant.

Repères chronologiques

Sur un temps court, moins de 60 ans, ont lieu deux des plus grandes réalisations intellectuelles de tous les temps, alors que, parallèlement, les transformations économiques s'accélèrent à un rythme inégal selon les pays.

*L*e grand commerce

PAGES 92-93

Pour mémoire

• Les terres découvertes au XVIe siècle deviennent les colonies des pays d'Europe. Aux XVIIe et XVIIIe siècles, elles alimentent un trafic maritime florissant.

• Le commerce triangulaire permet de résoudre le problème de la pénurie de main-d'œuvre dans les colonies, tout en ne voyageant jamais les cales vides. Les profits qu'il dégage sont considérables.

• La plantation est une unité de production ; son fonctionnement repose sur l'exploitation d'une main-d'œuvre abondante et réduite à l'esclavage.

• Le commerce maritime fait la fortune de la bourgeoisie des ports de l'Atlantique dès le début du XVIIIe siècle.

Étude des documents

Une sucrerie aux Antilles

La canne à sucre est originaire de la Côte du Bengale. Au VIIIe siècle, le sucre est consommé en Chine et en Inde. Au Xe siècle, la canne est cultivée en Égypte. Les chrétiens la découvrent lors des croisades et l'introduisent à Chypre. Elle prospère en Sicile et dans la région de Valence en Espagne. Au XVe siècle, la canne gagne le Maroc, les Açores, les Canaries, les Iles du Golfe de Guinée puis traverse l'Atlantique pour atteindre le Brésil, puis les Antilles (vers 1680).

La consommation du sucre progresse constamment. À Paris, en 1788, une personne en consomme en moyenne cinq kilos par an. Toutefois, pour l'ensemble de la France, la moyenne tombe à un kilo par an et par personne : le sucre est encore un article de luxe, consommé essentiellement dans les grandes villes.

Cultivée désormais surtout dans les Antilles, la canne à sucre réclame une grosse main-d'œuvre. Une sucrerie exige selon l'importance entre 150 et 500 hommes. Les installations sont coûteuses, comme le moulin qui écrase la canne entre trois rouleaux verticaux actionnés par la traction animale.

Le jus coule par un petit canal dans une première chaudière, puis dans deux autres où il est continuellement remué et écumé pour enlever les impuretés.

La surveillance des esclaves est assurée par un contremaître blanc.

Pour cultiver puis couper la canne à sucre, pour en extraire le jus puis le purifier, il faut énormément de main-d'œuvre.

Le manque de bras est à l'origine du développement de la traite des esclaves noirs. À la fin du XVIIe siècle, les Antilles comptent 40 000 esclaves, en 1789 ils seront 500 000.

La canne laisse peu de place aux cultures vivrières, d'où la nécessité d'importer d'Europe ou, de plus en plus, des colonies d'Amérique : farine, tonneaux de bœufs ou de porcs salés, lard, tripes en conserve en échange de sucre et de rhum. La nourriture des esclaves est souvent assurée par les tonneaux de morue apportés de Terre-Neuve par bateau.

Le commerce triangulaire laisse le plus souvent à l'armateur des bénéfices considérables de 300 à 400 %. Ces bénéfices sont à l'origine de la prospérité des ports qui se livrent au commerce triangulaire.

Le port de Marseille

Dans le port de Marseille, on assiste au va-et-vient des bateaux. Ce sont de grands voiliers. Les quais sont encombrés des marchandises transportées dans leurs cales : tonneaux, céréales en vrac, jarres, caisses de bois, balles ficelées. Le déchargement se fait à dos d'hommes ou par des rampes.

L'animation est grande sur le quai : on reconnaît deux vendeurs d'eau ; un marché au blé s'est installé près du bateau : on vanne, on met le blé dans des sacs qui sont ensuite emportés.

Au premier plan, un groupe de marchands et d'armateurs discutent affaires. On voit à leurs costumes que certains d'entre eux viennent d'Orient et d'Europe centrale, là où les Turcs ont encore un vaste empire.

En 1753, Louis XV avait commandé au peintre une série de tableaux représentant les ports du royaume. Cette commande révèle de la part du souverain et de son gouvernement un intérêt certain pour l'activité maritime, ce qui suscitait l'hostilité des Anglais. La série resta inachevée, tout comme la politique maritime française, d'ailleurs. Cependant, l'œuvre de Vernet nous reste. Volontairement descriptive, puisqu'il s'agissait de renseigner le roi, elle a une valeur documentaire irremplaçable.

La carte (p. 201)

Elle permet de localiser les colonies françaises. Le Canada et les comptoirs indiens sont cédés à l'Angleterre à la suite de la guerre de 7 ans ; restent les îles, c'est-à-dire les Antilles, au cœur du commerce triangulaire. À cette époque les empires coloniaux sont ceux de l'Espagne et du Portugal.

*L**es routes, bases d'une économie nouvelle*

PAGES 94-95

Pour mémoire

Pour mieux supporter l'accroissementdu trafic dû au développement du grand commerce, mais aussi pour disposer d'un réseau terrestre capable de relier rapidement Paris aux confins du royaume, on construit un réseau routier entièrement neuf.

Étude des documents

La construction d'une route

Ce tableau a été peint par Joseph Vernet (1714-1781) à une date indéterminée. On voit qu'au XVIIIe siècle, la construction d'une route exige une importante main-d'œuvre. L'énergie est fournie par les animaux et l'homme. Les techniques restent rudimentaires.

Une fois extraits des carrières (comme celle que l'on voit sous le moulin à vent) les blocs de pierre sont amenés à la brouette sur le lieu du chantier. Là ils sont taillés en pavés cubiques réguliers, placés sur un lit de sable et damés pour être définitivement fixés.

Pour élargir le chemin existant, on creuse la montagne. Pour creuser et niveler, on utilise la pelle et la pioche.

Les personnages à cheval, vêtus d'uniforme, appartiennent à l'administration des ponts et chaussées. Ils dirigent et inspectent les travaux en cours.

Né au cours du XVIIIe siècle, le service chargé de la construction et de l'entretien des routes et des ponts prend en 1736 le nom de « Ponts et Chaussées ». Les cadres sont formés dans une école d'ingénieurs fondée en 1747. La main-d'œuvre est fournie par les populations villageoises qui, depuis 1738, sont tenues de consacrer une partie de leur temps à ces travaux. Chaque paroisse est responsable d'un tronçon de route. La contrainte est fort mal acceptée par les villageois et cette corvée est remplacée par un impôt en espèces en 1788.

La construction du pont situé à l'arrière-plan nécessite l'utilisation d'engins de levage qui ne sont guère différents de ceux du Moyen Âge (comparer avec les mêmes machines, p. 55 du manuel). La main-d'œuvre est composée d'artisans locaux.

Si l'on compare cette route à la voie romaine (comparer avec les documents, p. 17 et p. 54 du manuel), on constate que le mode de construction n'a guère évolué : des pierres préparées, posées à la main sur un lit de sable ou de gravier. Par contre, la route est plus large ; l'utilisation de pavés cubiques ayant tous la même dimension permet de construire une route bien plate et plus confortable, susceptible de faciliter et d'accélérer le trafic. Ces travaux routiers ont permis en vingt ans de réduire de moitié la durée des voyages à partir de Paris, dans toutes les directions, et en particulier vers Bordeaux (cartes p. 200).

Les routes de postes qui furent ainsi construites sous l'Ancien Régime constituent encore aujourd'hui l'infrastructure majeure de notre réseau de routes nationales. Le réseau en étoile autour de Paris a été repris, un siècle plus tard pour le schéma directeur des chemins de fer.

La diligence

La diligence qui est mise au point, au XVIIe siècle sera, jusqu'à la généralisation des chemins de fer, le moyen de transport par excellence. Depuis la fin du Moyen Âge, un système de « postes » a été créé, c'est-à-dire de lieux (gîtes, auberges, haltes, etc.) où les voyageurs peuvent se reposer, et le cocher soigner ou changer ses chevaux. Des itinéraires fixes sont établis qui permettent un flux régulier de marchandises et de personnes, mais qui restent encore très lents. L'historien Braudel précise : *Les contemporains les ont trouvées démoniaques, dangereuses. Leur caisse est étroite, dit l'un d'entre eux, et les places y deviennent si pressées que chacun redemande sa jambe ou son bras à son voisin quand il s'agit de descendre. Si malheureusement il se présente un voyageur avec un gros ventre ou de larges épaules, il faut gémir ou déserter. Leur vitesse est insensée, leurs accidents nombreux et nul n'indemnise les victimes. Sur les grandes routes, seule d'ailleurs une étroite chaussée centrale est pavée ; deux voitures ne peuvent se croiser sans qu'une roue ne s'engage sur le bas-côté argileux. Quand, en 1669, une diligence eut franchi en une journée le chemin de Manchester à Londres, les protestations fusèrent : c'était la fin du noble art du cavalier, la ruine de qui fabriquait selles et éperons, la disparition des bateliers de la Tamise.*

*U*ne connaissance raisonnée du monde

PAGES 96-97

Pour mémoire

• L'intérêt pour les sciences et les techniques est un caractère important du XVIIIe siècle. Cet intérêt pour la science qui n'était réservé qu'à un petit nombre d'érudits s'étend à tous les milieux.

• Dans le but de porter à la connaissance de tous les dernières découvertes, des ouvrages monumentaux sont entrepris par Buffon et par les encyclopédistes conduits par Diderot.

Les philosophes qui, dans les salons littéraires explorent librement le monde des idées, ont foi dans le progrès. La vogue des sciences se développe intensément dans tous les milieux cultivés.

• Les laboratoires, les cabinets, les centres d'expérimentation foisonnent et l'influence de l'empirisme expérimental préconisé par l'Anglais Locke est déterminante. Notamment dans les sciences expérimentales et les sciences naturelles.

• Ce foisonnement s'accompagne de la naissance d'un véritable esprit scientifique.

• La croyance en la raison, la recherche de la vérité bousculent l'ordre établi et en particulier les dogmes religieux et le fanatisme. La connaissance n'est plus seulement fondée sur la foi.

Dans les 36 volumes de son « Histoire naturelle », Buffon fixe un tableau des connaissances zoologiques, botaniques et géologiques qui dérange : il refuse de confondre l'Histoire sainte et l'Histoire naturelle.

Œuvre monumentale, l'Encyclopédie rassemble tous les aspects de la pensée Ce « dictionnaire raisonné des sciences, des arts et des métiers » est aussi une critique habile des institutions politiques et des idées religieuses de l'époque.

L'histoire naturelle de Buffon

Le ministre Maurepas demande à Buffon une description du Cabinet d'Histoire Naturelle du roi. Buffon conçoit alors un projet plus important : décrire la nature toute entière. Les trois premiers volumes sont édités en 1749. De 1770 à 1783 paraîtront les neufs volumes de *L'Histoire naturelle des oiseaux*. *L'histoire naturelle des minéraux et le traité de l'animal* termineront son œuvre ; trente-six volumes auxquels s'ajoutent des textes importants sur *les époques de la nature*.

Pour rédiger cette œuvre monumentale, Buffon s'entoure de collaborateurs talentueux. L'unité de style est assurée par le fait que Buffon réécrit lui-même l'ensemble des textes.

Au XVIIIe siècle, l'histoire naturelle constitue le recueil et le classement le plus complet et le plus précis des connaissances biologiques de l'époque. Chaque planche est accompagnée d'une description de l'animal ; c'est un ouvrage attrayant.

L'Encyclopédie : La culture du coton

Très pédagogique, ce document montre au lecteur comment est récolté, conditionné et acheminé le coton qui sera filé et tissé dans les manufactures ou à domicile. Cueilli à la main sur un arbuste de 2 à 5 m qui pousse sous un climat subtropical, la capsule de coton doit être débarrassée des graines avant d'être entassée dans un sac de toile appelé « balle ». C'est sous cette forme qu'il sera acheminé en Europe puis commercialisé.

Le document montre bien la nécessité d'une main-d'œuvre importante et suggère l'exploitation abusive qui est faite de la main-d'œuvre locale. Préparées par une population réduite à l'esclavage, les balles de coton sont pour les marchands et les producteurs une source de profits importants.

On peut dire que toutes les idées émises par les philosophes au XVIIIe siècle sont contenues dans l'Encyclopédie. Pour mener à bien cette œuvre monumentale, Diderot recherche l'appui de puissants protecteurs parmi lesquels on compte notamment madame de Pompadour.

Tous les écrivains de l'époque sont invités à collaborer. À travers cette œuvre, les encyclopédistes mènent une lutte contre la superstition, l'obscurantisme, le fanatisme. Les opposants furent nombreux et l'histoire mouvementée de sa parution reflète bien les contradictions qui caractérisent ce siècle dit « des Lumières ».

Manufactures et fabriques

PAGES 98-99

Pour mémoire

> • Si les idées avancées par les philosophes contestent l'ordre établi, la foi dans les sciences et dans le progrès qui se concrétise par l'application à l'activité économique de nouveaux procédés ébranlent la production traditionnelle et artisanale. Le XVIIIᵉ siècle présente les signes avant-coureurs de la révolution industrielle. Elle ne présente pas un commencement précisément identifiable mais apparaît déjà comme irréversible.
>
> • À l'image de ce qui existe en Angleterre apparaissent en France les premières usines ou « fabriques ».
>
> • On commence à substituer le charbon de terre au très coûteux charbon de bois pour produire la fonte et le fer.
>
> • À côté de l'énergie animale et de l'énergie naturelle des cours d'eau, on emploie une énergie créée par les nouvelles « machines à feu », autrement dit les premières machines à vapeur.

Étude des documents

La fonderie de Montcenis au Creusot

La commune de Montcenis est située sur un territoire où affleure la houille et elle est proche de plusieurs gisements de minerai de fer.

Sur le modèle des manufactures anglaises, le gouvernement royal décide de créer une fabrique qui produira de la fonde au coke. Le capitaine de Wendel aidé par l'Anglais W. Wilkinson se charge de la réalisation du projet.

Si l'on compare ce document avec la fonderie de canons, on note que l'on est passé de la production artisanale à une véritable production industrielle, de l'atelier à l'usine avec des espaces concentrés… et la pollution qu'elle engendre.

Le texte de Wendel présente les aspects novateurs de la fonderie du Creusot et les avantages qu'ils apportent. Grâce à l'utilisation du « charbon de terre » la production ne dépendra plus de conditions météorologiques. Dans les autres forges, le gel d'hiver et la sécheresse d'été interdisent le travail des machines qui sont entraînées par une roue à aube.

Comme le laisse entendre de Wendel, la fonderie du Creusot reste exceptionnelle. Elle ne connaîtra d'ailleurs qu'un demi-succès.

La voie du progrès est ouverte mais il faudra plus d'un siècle pour que cette technologie se généralise.

La manufacture de Wetter

La manufacture de Wetter présente un exemple remarquable d'une fabrique de toile imprimée. Les cotonnades et le procédé d'impression sont nouveaux car ils avaient été interdits en 1686 par Colbert soucieux de ne pas concurrencer la laine et la soie, produites dans le royaume.

L'organisation du travail préfigure l'usine. Dans de vastes ateliers, bien éclairés par de grandes fenêtres, travaillent près de cinq cents ouvrières. Les pièces de tissu sont posées sur de grandes tables. Il y a autant de retoucheuses que de couleurs à appliquer.

Ce travail reste essentiellement manuel et confié exclusivement à des femmes, sous la direction de plusieurs contre-maîtresses. Un certain chahut règne, pendant que deux des frères Wetter se promènent dans l'atelier. Le directeur, assis dans l'allée, signe les papiers que lui présentent des ouvrières. La manufacture d'Orange a été, à la fin du XVIIIe siècle, l'une des plus importantes dans sa catégorie. Sa production était destinée au royaume mais aussi aux pays méditerranéens voisins.

*U*n nouveau genre de vie

PAGES 100-101

Au XVIIIe siècle, se développe un nouvel art de vivre :
• un goût nouveau pour l'intimité apparaît, la vie de famille se sépare de la vie mondaine ;
• dans les habitations aisées, les pièces reçoivent chacune une fonction précise ; les repas sont servis dans une pièce spécialisée : la salle à manger. La cuisine est réservée à la préparation et à la cuisson des aliments ;
• avec les Grandes Découvertes, de nouveaux aliments ont été introduits en Europe occidentale ; mais c'est essentiellement au XVIIIe siècle qu'ils gagnent lentement les honneurs de la table : maïs, tomates, pommes de terre ;
• c'est aussi à cette époque que l'on prend l'habitude de boire du chocolat, du café et du thé ;
• nos usages de la table se mettent progressivement en place : fourchettes, assiettes, repas à heures fixes...

Étude des documents

La cuisine

L'observation du document met en évidence les points suivants :
• *L'aménagement de la cuisine* : le sol est carrelé, la cheminée est grande ; à droite de la cheminée, il y a un four à pain avec une

place, en dessous, pour stocker le bois. À gauche, un bloc en maçon-
nerie : c'est l'évier, dont l'écoulement se fait directement dans la rue.
On note que le plafond est fait de larges poutres apparentes.

• *Les différents meubles et accessoires* : une table et des chaises ;
sur le manteau de la cheminée, une lanterne et des chandeliers ; des
ustensiles divers, chaudron, poêles, bassine. La vaisselle est variée :
des pots, une verseuse, des couverts (cuillers, couteau) ; des récipients divers (panier, corbeille, seau).

• *Les denrées* : surtout des légumes, choux, artichauts, carottes,
oignons, poireaux, bettes. En outre, le chocolat que prépare la dame.

• *Les personnages* : la maîtresse de maison, la servante avec sa
fille. Leur vêtement, que l'on décrira, les distingue bien. La maîtresse
de maison prépare son chocolat ; la servante épluche les légumes.

• *Un animal familier* : le chat est couché sur une chaise.

Le déjeuner au chocolat

Dans un petit salon confortable, minutieusement décrit (boise-
ries, cheminée, glace, dorures, étagères avec bibelots chinois, tables
ouvragées, fauteuils confortables, etc.), une famille déjeune de chocolat, boisson alors fort à la mode. On note la jolie table laquée, le
service à chocolat, et l'attitude charmante des différents personnages, en particulier le soin avec lequel le peintre a représenté les
enfants. L'un mange à la becquée, l'autre va s'installer sur le petit
siège. Il tient son petit cheval et sa poupée. Sur la tête, son bonnet
« pare-chocs » est bien attaché.

Le coin du savant (p. 102)
La galerie des ancêtres (p. 103)

Les sciences progressent pendant le XVIIIe siècle, en particulier
avec Newton, astronome et mathématicien, qui propose sa loi sur la
gravitation universelle. Parmi les recherches où sont impliqués des
Français, l'expérience de Montgolfier a un caractère un peu anecdo-
tique, car il faudra attendre la fin du XIXe siècle pour que la conquête
de l'air démarre vraiment. Par contre, les travaux de Lavoisier fondent la chimie moderne.

Parmi les hommes qui ont marqué leur époque, la figure de Voltaire est la plus accessible. Pourtant, les grandes personnalités n'ont
pas manqué, de même les grandes dames. On pourra évoquer aussi
bien Rousseau, qui annonce la nouvelle sensibilité romantique. Bou-
gainville explorateur et homme de bien, madame de Genlis qui incul-
qua au futur Louis-Philippe les idées des philosophes.

Chapitre 9

La Révolution française

*L*a Révolution française

PAGES 104-105

Une révolution transforme totalement la France, en particulier sur le plan administratif, judiciaire et financier. Ces transformations ne seront pas remises en cause.

Pour mémoire

• Contrairement aux périodes précédemment étudiées, la Révolution française et le Premier Empire constituent une période très courte (26 ans) pendant laquelle les institutions de l'Ancien Régime monarchique sont détruites et remplacées par celles qui fondent la France moderne.

• Les révolutionnaires appartiennent à la bourgeoisie possédante qui sait exploiter les soulèvements populaires pour abattre l'Ancien Régime. Quand les périls intérieurs et extérieurs sont trop menaçants, elle fait appel à un général ambitieux, Bonaparte.

• Pendant cette période, la France révolutionnaire affronte les monarchies européennes qui soutiennent les partisans de l'Ancien Régime. Après avoir repoussé leurs offensives, la France devient à son tour conquérante. De 1804 à 1805, Napoléon Ier se constitue un éphémère mais vaste empire en Europe.

Étude des documents

La prise de la Bastille

La prise de la Bastille n'est que la première manifestation révolutionnaire d'une crise politique, économique et sociale qui couve depuis un siècle, et en tout cas depuis au moins trente ans. La bourgeoisie s'est enrichie pendant ce siècle. Elle est beaucoup plus prospère que l'aristocratie dont elle rachète les châteaux, les terres et même les noms... Mais cette dernière lui refuse le complément naturel de la possession, à savoir le pouvoir politique, et le lui fait bien savoir lors de la réunion des États généraux.

La bourgeoisie aurait volontiers su attendre son heure. Mais la crise latente se double à la fin des années 1780 d'une crise conjoncturelle qui a son origine dans deux récoltes agricoles catastrophiques. L'économie pré-industrielle repose en effet sur l'agriculture et donc sur le niveau des récoltes dont les surplus alimentent les caisses de l'État (impôts), de l'Église (dîme) et des classes possédantes pour qui la plus grande part du patrimoine est constituée par des terres et l'essentiel du revenu par la rente foncière. Par ailleurs, le prix du pain, notamment dans les villes, atteint de tels niveaux que le petit peuple urbain des artisans et des compagnons est réduit à une quasi-famine. Plus de travail (la machine économique est bloquée), plus de pain (il coûte trop cher) ; les troupes des émeutes sont prêtes. Mais cette fois-ci, leurs forces sont canalisées par une bourgeoisie parisienne qui sent la faiblesse du régime aristocratique : elle l'abat d'une chiquenaude.

La prise de la Bastille ne fut donc sur bien des plans, qu'une jacquerie urbaine bien utilisée. De nombreux tableaux, des gravures ont rendu compte d'une certaine vision de la prise de la Bastille, où la force populaire est exaltée.

Sur le document, on observe :

• la forteresse : de type féodal, elle est flanquée de plusieurs grosses tours ; on y accède par des ponts-levis – les ouvertures sont peu nombreuses et munies de grilles ;

• les défenseurs : placés au sommet de la forteresse, ils sont peu nombreux ;

• les assaillants : ils sont nombreux ; il y a des soldats, des bourgeois et le peuple de Paris ; ils utilisent des canons, des fusils, des fusils à baïonnette et des armes typiquement populaires : faux et piques ; un groupe d'assaillants tient un homme vêtu de blanc : il s'agit de M. Delaunay, gouverneur de la Bastille.

C'est la fin de l'attaque : le peuple victorieux pénètre dans la Bastille.

Napoléon Ier couronne Joséphine

Selon la tradition, l'héritier de la couronne de France est sacré roi lors d'une cérémonie religieuse qui se déroule dans la cathédrale de Reims. Napoléon Bonaparte va au-delà de cette tradition en célébrant son sacre dans le chœur richement décoré de la cathédrale Notre-Dame de Paris. Le peintre Louis David a été chargé de réaliser le tableau qui doit immortaliser le grand événement. Il choisit de représenter le moment où Napoléon, après s'être couronné lui-même, pose la couronne sur la tête de son épouse Joséphine. Le pape Pie VII a été contraint de venir participer à la cérémonie et on le voit, assis derrière le nouveau souverain, qui bénit la scène. Chaque personnage est parfaitement identifié : le sacre de Napoléon est une prodigieuse galerie de portraits où se pavane la noblesse d'Empire.

Le régime s'efforce de faire de ce tableau une œuvre de propagande, mais en dépit et de l'attention portée à représenter sur un même tableau les grands dignitaires de l'Église et la nouvelle aristocratie, le pouvoir civil a une nette prééminence. L'allure effacée du pape, voulue par le peintre et son commanditaire, Napoléon, nous rappelle qu'il n'est pas besoin de droit divin pour gouverner.

Repères chronologiques

Parallèlement aux bouleversements politiques, des transformations fondamentales sont décidées.

L'œuvre de la Ire République, sur moins de 20 ans, fonde la France actuelle.

*L*a fin de la monarchie absolue

PAGES 10-11

Pour mémoire

La réunion des États généraux à Versailles révèle le fossé d'incompréhension qui sépare le Tiers-État des ordres privilégiés. La bourgeoisie met à profit l'effervescence populaire pour imposer le principe d'une constitution, dont le préambule constitue la Déclaration des Droits de l'Homme et du Citoyen.

Le Serment du Jeu de Paume est le premier acte révolutionnaire par lequel les députés du Tiers-État défient le pouvoir absolu de Louis XVI : ces députés se déclarent Assemblée nationale car ils sont élus. À ce titre ils représentent **la Nation**, entendue comme l'ensemble des citoyens et non plus des sujets qui doivent obéissance au roi.

La monarchie absolue est abolie. Il convient de définir les pouvoirs (législatif, exécutif, judiciaire) exercés par le roi et l'assemblée grâce à **une constitution**, c'est-à-dire un ensemble de dispositions qui règlent les actions des uns et des autres.

La déclaration des Droits de l'Homme et du Citoyen consacre les statuts nouveaux de l'individu dans la société.

Dates clés :
- 5 mai 1789 : Réunion des États généraux
- 20 juin 1789 : Serment du Jeu de Paume
- 14 juillet 1789 : Prise de la Bastille
- 4 août 1789 : Abolition des privilèges
- 26 août 1789 : Déclaration des droits

Il faut espérer que ce jeu-là finira bientôt

À la veille de la Révolution, les formes de critiques et d'oppositions passent par un moyen de communication très caractéristique de cette époque : la caricature. Des estampes coloriées circulent et diffusent des idées telles que l'injustice et l'inégalité des catégories sociales devant l'impôt. Sur cette estampe, on reconnaît à leur tenue vestimentaire et à leurs accessoires, un paysan portant sur son dos courbé un curé et un noble.

Cette caricature dénonce les abus que les deux ordres privilégiés font subir au Tiers-État. Ils sont inscrits sur l'épée (« rouge de sang »), sur les billets qui sortent des poches du noble (« sel et tabac, tailles et corvées », « dîmes, milices ») et du curé (« Évêque, abbé de…, duc et pair, comte de… » « pension », « ostentation ») ainsi que sur la brouette du paysan (« bonté de cannes »).

À partir de ces inscriptions, on peut essayer de reconstituer la cascade d'injustices qui pesait sur le Tiers, ici représenté par un paysan : impôts trop lourds, fonctions réservées dans l'armée par les nobles, cumul des titres et des terres, goût de paraître, argent perçu sans travail.

On tirera de l'ensemble des observations la conclusion que le paysan, du fait des privilèges des deux premiers ordres, supporte l'essentiel de l'impôt. Or les finances du royaume vont mal et le roi souhaite lever de nouveaux impôts. Il ne peut le faire qu'en réunissant les États généraux.

Le Serment du Jeu de Paume, dessin de David

David n'a pas fait œuvre de témoin oculaire dans ce tableau inachevé. Il a répondu à une commande politique, celle du club des Jacobins dont il était un adhérent fervent. C'est donc l'œuvre d'un artiste engagé, et c'est là que réside la grande nouveauté.

D'autre part, David est le premier peintre d'histoire actuelle. D'où la difficulté qu'il rencontre pour réaliser son tableau, car les tensions partisanes étaient nombreuses. Il ne l'a d'ailleurs pas achevé lui-même

David a voulu exalter le Tiers-État, seul héros collectif de la Révolution. Cependant, chaque personnage est individualisé et identifiable.

La Ire République

PAGES 108-109

• Les forces contre-révolutionnaires, autour de Louis XVI, n'admettent pas la monarchie constitutionnelle et l'égalité des droits. Elles font appel aux souverains étrangers pour qui la Révolution française est une menace de déstabilisation et un ferment de troubles. Bientôt la France est encerclée. Les révolutionnaires déclarent la patrie en danger, proclament la république et repoussent les ennemis.

• La fuite manquée du roi, reconnu et arrêté à Varennes le 20 juin 1791 révèle la collusion de la monarchie avec l'étranger anti-révolutionnaire. Louis XVI est finalement fait prisonnier et exécuté le 21 janvier 1793.

• La République est proclamée **le 20 septembre 1792**. Désormais les dirigeants du pays sont élus par les citoyens. Cependant la guerre menace aux frontières et en Vendée, un soulèvement royaliste met en péril la république.

• À partir de 1794 la menace étrangère est repoussée, mais la France poursuit l'offensive avec le prétexte de propager les idées révolutionnaires afin de trouver des subsides pour les caisses toujours vides de l'État.

Étude des documents

La Ire République

La devise de la République s'inscrit dans l'espace laissé libre par une sorte de grand monument composé d'une large base et de deux obélisques.

Sur la base, encadré par les portraits de Bara et de Chalier on reconnaît le calendrier républicain. Sa mise en place visait deux objectifs : appliquer le système métrique à la mesure du temps et laïciser un repère social fondamental, le cours de l'année. Entre les deux obélisques et reposant sur le socle où est gravé le calendrier, le coq gaulois est prêt à son envol, sur un fond de canons et de matériel d'artillerie mélangé aux lauriers. Chaque obélisque porte les insignes de la république inspirés de la république romaine : les piques et les faisceaux des licteurs surmontés du bonnet phrygien font allusion au pouvoir civil, les drapeaux, les cocardes parisiennes et les armes (sabres, fusils-baïonnettes) mêlées aux lauriers évoquent le pouvoir militaire. Au-dessus de chaque obélisque trône un portrait : celui de Marat et celui de Le Peletier.

Sur la partie supérieure, fermant l'espace où est inscrite la devise républicaine, deux femmes sortent des nuées pour couronner les héros tout en maintenant le fil à plomb symbole de la justice surmonté de l'œil de la raison inscrit dans un soleil aux multiples rayons. Ce sont des symboles largement diffusés à la fin du XVIIIe siècle et employés encore de nos jours par les groupes franc-maçons.

Cette symbolique rationaliste et guerrière nous rappelle que la république a été déclarée alors que la guerre menaçait les frontières. La devise de la république s'inspire à la fois des principes mis en place dans la Déclaration des droits, mais aussi de l'urgence du moment, alors que la guerre intérieure et extérieure risquent de dépecer l'ancien royaume. D'où les notions d'unité et indivisibilité, comme de l'engagement de mourir plutôt que de renoncer.

Les quatre personnages aux quatre angles de la gravure sont des héros de la république et fêtés à l'égal d'apôtres civiques. Ce sont :

• **Le Peletier** (1760-1793) : ancien noble, remarqué pour ses propositions de réforme de la justice. Ayant voté la mort du roi, il fut assassiné le lendemain du verdict.

• **Marat** (1743-1793) : il a été l'une des principales figures de la Révolution. Issu d'un milieu modeste, il se trouve en France en 1789 après un long séjour en Angleterre. Dans son journal *l'Ami du Peuple*, il dénonce violemment la monarchie, les révolutionnaires modérés, tous ceux qu'il soupçonne de vouloir freiner le cours de la Révolution. Il est assassiné le 13 juillet 1793 par une royaliste, Charlotte Corday.

• **Chalier** (1747-1793) : membre de la commune lyonnaise, il est condamné à mort et décapité sur ordre des contre-révolutionnaires fédéralistes et royalistes, le 17 juillet 1793 à Lyon.

• **Bara** (1779-1793) : tambour dans les troupes républicaines, il est mort dans une embuscade en Vendée après avoir résisté aux Chouans. Il avait 14 ans.

Le Consulat et l'Empire

PAGES 110-111

Pour mémoire

• Pendant la Terreur, la bourgeoisie craint pour ses conquêtes politiques, les spéculateurs pour les bénéfices accumulés, les paysans aisés pour les terres de l'Église rachetées à vil prix.

En un mot, tous les possédants ont peur. Ils ont peur aussi de la menace extérieure, notamment de ces armées prussiennes, autrichiennes, russes qui traînent dans leurs fourgons les aristocrates français exilés.

• C'est cette double crainte qui les pousse à accepter l'aile protectrice d'un général ambitieux, Bonaparte, qui leur a prouvé sa détermination à vaincre l'ennemi extérieur (Campagne d'Italie) et à contenir les revendications des masses populaires parisiennes (Vendémiaire). En le faisant consul puis empereur, les classes possédantes s'assurent du même coup de leurs avantages acquis (Code civil), même si, momentanément, elles lui délèguent leurs pouvoirs politiques. L'ambition de Napoléon le pousse à sa perte, mais la restauration des Bourbons ne remet pas en cause, au début (règne de Louis XVIII), les avantages acquis pendant la Révolution.

Étude des documents

Le partage du monde entre les Anglais et les Français

Cette gravure met en scène le Premier ministre britannique et Napoléon surnommé « Bony » (l'osseux) par les Anglais.

Les deux convives sont représentés face à face en train de découper un plum-pudding qui symbolise le monde.

Napoléon, héritier de la Révolution de 1789 (les plumes de son chapeau sont bleues, blanches et rouges), est représenté en position de faiblesse. Il doit, en effet, se lever pour se tailler une modeste part du monde : l'Europe. Le Premier ministre Pitt est assis, sûr de lui et se découpe la plus grosse part : celle de tous les océans.

La fumée qui monte à l'arrière-plan évoque la bataille de Trafalgar qui a permis aux Britanniques de s'assurer une maîtrise totale des mers. Napoléon, lui, doit limiter ses conquêtes à l'Europe continentale.

Napoléon décore Oberkampf de la Légion d'honneur

La politique extérieure agressive à laquelle fut contraint Napoléon Bonaparte fait parfois oublier que l'époque napoléonienne, si on met à part les trois dernières années, fut une grande période pour l'économie du pays, dans le prolongement des dernières années du XVIIIe siècle.

Ce lavis inachevé montre Napoléon, simplement vêtu de sa redingote de « petit caporal », mais accompagné d'une suite brillante, en visite à Jouy-en-Josas chez l'industriel Oberkampf. Celui-ci avait créé une importante manufacture d'indiennes à la fin du XVIIIe siècle et avait traversé les orages révolutionnaires sans dommages. À l'occasion de cette visite, Napoléon lui remit la Légion d'honneur. On pourra souligner l'attitude des différents acteurs de cette scène : majesté de l'empereur, émotion respectueuse d'Oberkampf, surprise des accompagnateurs, pénétrés de l'importance de l'acte. La Légion d'honneur, créée par Napoléon, distinguait en effet les plus méritants parmi les citoyens.

La Distribution des aigles, par David, peint en 1805

David est devenu le peintre officiel de l'empereur. Ce tableau, avec celui du sacre, fait partie de la série inachevée du couronnement. On y retrouve les gestes et la fougue du *Serment du Jeu de Paume*, mais cette fois-ci ce sont les drapeaux qui concentrent l'intérêt. Napoléon, extérieur au groupe donne à son bras levé non le sens de l'enthousiasme et du ralliement, mais celui de l'ordre. C'est un tableau de propagande, à la gloire du régime.

L'œuvre de la Révolution et de l'Empire

PAGES 112-113

Pour mémoire

• La plupart des mesures prises pendant les vingt-six années de la Révolution à l'Empire organisent encore la vie quotidienne aujourd'hui.

• Un ensemble de mesures vont simplifier et rationaliser la vie économique : un système décimal, un espace national défini par rapport à son appropriation (le cadastre).

• Un ensemble de mesures vont codifier la vie sociale et économique, donnant lieu à l'établissement de divers codes : le code civil, le code pénal etc. Parmi les mesures les plus concrètes, on établit l'état-civil, le mariage civil et le divorce.

• Un nouveau découpage administratif remplace les multiples découpages enchevêtrés de l'Ancien Régime. À la tête de chaque département, le préfet est le représentant de l'État dont il applique les décisions.

• La propriété religieuse change de mains : la bourgeoisie acquiert en majorité les « biens nationaux ».

Face à un ensemble de mesures dont profite la bourgeoisie qui désormais a le pouvoir politique et les moyens économiques, les ouvriers sont isolés et sans défense : sous prétexte que les corporations étaient un frein à la liberté individuelle, la loi Le Chapelier les abolit et interdit les associations. Le livret ouvrier est imposé : il garantit la bonne conduite de celui qui veut être embauché.

Étude des documents

Les nouvelles mesures

La réforme du système des mesures répond à l'ambition de rationaliser par la science tous les outils de l'activité économique. On sait qu'à cette époque, les mesures, tout en portant le même nom, fluctuaient d'une région à une autre, constituant un frein considérable pour les transactions et les échanges.

Dès 1790 la Constituante adopte le principe d'un système unifié des poids et des mesures : il doit être établi sur la division décimale pour les différentes mesures (multiples et sous-multiples d'une même unité seront des puissances de dix). D'autre part l'unité de longueur doit être prise dans la nature pour être universelle.

L'Académie des Sciences en 1791 détermine que l'unité de longueur – le mètre – correspondra à la dix millionième partie du quart du méridien terrestre. On choisit le mot *mètre* car il vient du grec *metron*, la mesure. Les travaux de mesure de l'arc méridien sont menés entre 1792 et 1799 mais dès 1795 la nouvelle nomenclature est adoptée en introduisant le mètre, le gramme, le stère, le litre, le franc avec des préfixes d'origine latine ou grecque pour les multiples et sous-multiples : centi, déca, déci, kilo ou myria.

La gravure montre six personnages en train de faire des mesures de liquide, de longueur, de volume de bois, de monnaie, d'arpentage à l'aide des nouvelles unités. Ce sont les mêmes que l'on continue à employer aujourd'hui.

Le franc et le billet de banque

La période de la Révolution est marquée par un grand désordre monétaire. On se souvient qu'une crise financière grave est à l'origine de la Révolution. On tente de résoudre le problème avec le papier-monnaie, *l'assignat*, dont la valeur est assise sur les biens nationaux. Mais cette monnaie est vite dépréciée, au fur et à mesure que la crise économique s'aggrave. Napoléon Bonaparte y met bon ordre en créant une monnaie d'argent, *le franc germinal*, qui gardera toute sa valeur tout au long du XIXᵉ siècle. En 1800, il avait autorisé la création de la Banque de France, à partir de la Caisse des Comptes courants.

Le mariage civil, le code civil

La société du XIXᵉ siècle est en germe dans l'institution de l'autorité du chef de famille qui fait de la femme, même fortunée, un être mineur dépendant de son époux. Il faudra attendre la Troisième République pour certaines mesures et une époque plus récente (les années 1970) pour d'autres, afin de modifier les excès du code civil et introduire enfin, l'égalité parentale et de l'indépendance de la femme mariée.

L'administration préfectorale

Le préfet succède à l'intendant, dont il généralise les pouvoirs et les attributions. Son costume de cérémonie traduit son importance, car il est le représentant du pouvoir central. Parallèlement au pouvoir des préfets, sur proposition de Talleyrand, on met en place, pour toutes les fonctions publiques, un système nouveau, celui des inspecteurs chargés de veiller à la bonne marche des institutions. C'est ainsi que la loi du 11 Floréal an X (1er mai 1802) définit l'enseignement scolaire et crée l'Inspection. Selon Talleyrand, *les Inspecteurs Généraux, nommés par le Premier Consul, revêtus de la force et de la dignité si nécessaires à leur importante mission, parcoureront les lycées, les visiteront avec beaucoup de soin et éclaireront le gouvernement, dont ils seront en quelque sorte l'œil toujours ouvert dans les écoles, sur leur état, leurs succès ou leurs défauts. Cette nouvelle institution sera la clé de voûte (du système).*

Le découpage administratif de la France

Pour l'essentiel, et mis à part les régions qui n'étaient pas encore englobées dans le territoire français (Belfort, Savoie, Vaucluse, région de Nice) la France est découpée en départements dont l'allure a été peu ou pas modifiée depuis. Le chef-lieu du département devait être situé de sorte que toute localité soit à moins d'une journée de véhicule à cheval. Aussi, le choix du chef-lieu s'est-il parfois fait au détriment de la ville traditionnellement importante. (Châlons au lieu de Reims, Laon au lieu de Soissons, Chaumont au lieu de Langres etc.)

Le préfet est le représentant de l'État et par lui, l'administration est totalement centralisée vers les lieux de décision et de pouvoirs, tous installés à Paris.

*L*es artistes témoins de leur temps

PAGES 114-115

Pour mémoire

Depuis le XVIIIe siècle, une profonde évolution se fait chez les artistes. À côté de la peinture officielle et de la peinture pittoresque inspirée des Hollandais, émerge le goût du vrai, avec des peintres comme Chardin, Boucher ou Fragonard. Le rôle du peintre s'en trouve modifié : il a désormais un rôle social et civique. Il ne se contente plus de répondre aux commandes des puissants : rois, Église, riches particuliers, il s'implique dans les événements de son temps. David et Goya ont été, chacun de leur côté, et chacun de leur façon, les artisans de ce changement à l'origine de la peinture contemporaine. À partir de leur expérience, tous les peintres, tous les artistes se sentiront concernés et se considéreront comme les témoins de leur temps.

Étude des documents

La Mort de Marat par David

David est membre de la Convention et ami de Robespierre lorsqu'il met son art au service de la Révolution.

David, qui a rencontré Marat la veille de son assassinat, le représente tel qu'il l'a vu, soignant dans son bain une maladie de peau : *Je le trouvai dans une attitude qui me frappe.*

Il avait auprès de lui un billot de bois sur lequel étaient placés de l'encre et du papier, et sa main, sortie de la baignoire, écrivait ses dernières pensées pour le salut du peuple. Ce tableau est une véritable Pieta révolutionnaire, Marat y est représenté comme un martyr, avec une extraordinaire simplicité de moyens.

Dès l'avènement de Napoléon, David se rallie à l'empereur et peint la cérémonie du sacre (document 2 page 105 du manuel).

Bonaparte à Eylau par Gros

Gros est un élève de David. *La Bataille d'Eylau* obtient le premier prix du salon de 1808.

L'œuvre est considérée comme l'une des premières manifestations romantiques par les contrastes des couleurs et du mouvement, par la force des expressions les plus outrées (colère, désespoir, supplication), la crudité des représentations macabres, la désolation de la plaine, où brûlent les feux de l'incendie. Au milieu du désordre des corps, Napoléon, point de concentration du regard des suivants, fait un geste de clémence et d'apaisement. La pâleur de son visage est renforcée par la couleur grise de son habit. Il apparaît cependant porteur d'espoir, par la clarté des teintes que l'artiste a choisies, mais surtout par la couleur du cheval, véritable rayon de soleil dans la tourmente.

Le 3 mai par Goya

Pour desserrer l'étau du blocus dirigé par l'Angleterre, les armées de Napoléon, conduites par Murat, entrent en Espagne en 1807 avec l'intention déclarée d'aller occuper le Portugal allié de l'Angleterre. Sous le prétexte de protéger la famille royale espagnole, Murat et ses troupes s'installent à Madrid. Conscient d'y voir une première étape dans l'occupation du pays, le peuple se soulève, le 2 mai 1808. L'émeute est violemment réprimée le lendemain.

Pour exprimer l'horreur de cette répression, Goya a représenté les soldats français par des couleurs sombres, ils sont nombreux, armés et leurs visages collés au viseur sont cachés. Ils tirent à bout portant sur un groupe d'hommes désespérés et sans armes. L'un d'eux ose affronter l'exécution sommaire : dans la lumière de la lanterne, il brave les fusils dans un geste de mise en croix.

La peinture de Goya a exercé une grande influence sur des peintres français aussi différents que Léon Bonnat, le portraitiste du Second Empire, ou Manet, l'impressionniste.

Le coin du savant (p. 116)
La galerie des ancêtres (p. 117)

Ces pages sont à lire en classe et à la maison.

• **La betterave** est une de nos premières cultures de substitution, destinée à remplacer le sucre de canne. En fait son développement, comme une industrie agricole est plus tardif, mais spectaculaire. La culture de la betterave fera et fait toujours la richesse du Bassin parisien.

• **La mécanisation du tissage de la soie** sera appliquée à d'autres fibres. Dans un premier temps, la machine de Jacquart permet d'éviter l'emploi des enfants qui étaient préposés à « la tire », car ils tiraient les fils de chaîne concernés par le passage du fil de trame, selon le motif. C'était un travail pénible, que le tisserand rétribuait sur son propre salaire donc chichement.

• **La période révolutionnaire** a vu l'émergence de nombreux individus que « la force des choses », selon l'expression de saint Just, a mis sur le devant de la scène. On a voulu donner ici deux relations moins passionnelles de deux hommes d'exception, forgés par les événements de la révolution.

Chapitre 10

Les débuts de l'industrialisation

*L*es débuts de l'industrialisation

PAGES 118-119

L'industrialisation bouleverse complètement la société et le mode de vie, au point que l'on peut comparer les conséquences de ce phénomène à celles qui ont suivi la sédentarisation et la domestication des espèces à la fin de la Préhistoire.

Pour mémoire

• Au cours de la première moitié du XIXe siècle, la France, à l'instar de ce qui existe en Angleterre, s'industrialise peu à peu.

Cette « révolution industrielle » ne connaît ni début ni fin clairement identifiable mais sa particularité réside dans sa continuité, dans son aspect irréversible.

• Cette transformation en marche ne doit pas faire oublier que la France, comme l'ensemble de l'Europe est encore agricole, rurale. Chaque province conserve ses coutumes et sa langue.

• Les débuts de l'industrialisation sont permis grâce au triomphe de la **machine à vapeur**. Son utilisation systématique va d'abord stimuler la fabrication de l'acier et intensifier l'exploitation des mines de fer et de **charbon**.

L'application de la vapeur aux moyens de transport est très spectaculaire.

L'application de la vapeur à la **machine-outil** va entraîner une modification profonde dans la nature du travail, les lieux de production et dans les rapports humains.

• La première moitié du XIXe siècle se caractérise par **des secousses politiques** qui n'entravent pas le lent et progressif démarrage de l'industrie. Les bourgeois possédants en sont les grands bénéficiaires.

• Les incertitudes politiques, les transformations en cours engendrent **de grands mouvement de pensée** qui bouleversent la littérature, la peinture et la musique.

Étude des documents

Sur le carreau de la mine

Malgré l'absence de datation précise du tableau par l'auteur, on peut vraisemblablement situer ce document entre les années 1810 et 1830.

Au centre, une machine à vapeur est installée à l'air libre. On voit la chaudière sphérique, la cheminée à base carrée, le balancier et les mécanismes de transmissions : roue et bielles. Un technicien assure le bon fonctionnement de l'ensemble.

Cette machine commande deux cordes. L'une à droite sert à monter le charbon des galeries de la mine, l'autre à gauche commande une benne qui pouvait servir à la descente et la remontée des mineurs.

À l'extrême droite, un ouvrier passe au crible les morceaux de charbon qu'une femme emporte sur sa tête. Ensuite le charbon est transporté à la brouette, à dos d'âne ou dans des charrettes.

Pour connaître le poids du charbon contenu dans la charrette, il suffit de peser à plein (ce que l'on voit), à vide, puis de faire la différence.

On voit que dans ce type d'exploitation, comme dans la première moitié du XIXe siècle, si l'énergie produite par la vapeur améliore les conditions d'extraction elle ne supprime pas pour autant l'importance de la main-d'œuvre et de la traction animale.

Le chemin de fer de Lyon à Saint-Étienne

La locomotive devait engendrer une importante transformation du paysage et de l'environnement : voies ferrées, ponts, gare, tunnels etc. C'est l'utilisation de la vapeur qui apparaît comme la plus spectaculaire.

Le chemin de fer, c'est la rencontre du rail et de la machine à vapeur. Ceci est parfaitement illustré dans ce document.

• Il est évident que sur une route deux chevaux ne suffiraient pas pour tirer ces quatre voitures. Le rail (et mieux encore le rail en fer) permet de diminuer au maximum les frottements. Il faut toutefois que la voie soit la plus plane possible. On note la distinction en 1re et 2e classe. On remarque qu'en dehors des roues, les wagons de 1re ressemblent aux diligences.

• Les rails peuvent guider des voitures réservées au transport des personnes ou au transport de marchandises. Les wagons sont alors conçus en fonction de leur future utilisation (bennes ou plates-formes).

• La pente douce permet aux wagons d'avancer naturellement. Les personnes entrées à l'avant des voitures sont chargées de réguler la vitesse du convoi, de l'arrêter.

• Le train transporte du charbon, il est tiré par une locomotive. Le personnage placé à l'arrière de la locomotive entretient le feu et conduit la machine. Celui qui est à l'avant surveille le convoi.

À la fin de 1841, la France ne possède que 566 km de chemin de fer.

En 1850, elle en a 3 010 km.

Repères chronologiques

Les périodes sont envisagées désormais sur la courte durée. L'expansion continue des transformations économiques contraste avec l'instabilité politique française pendant moins d'un demi-siècle.

Rois et révolutions

PAGES 120-121

Pour mémoire

• Après la chute de Napoléon, les Bourbons (Louis XVIII puis Charles X) sont de retour sur le trône de France.

• Malgré la charte constitutionnelle (rédigée à la hâte en 1814), sous la pression des nobles revenus de l'étranger et de l'église qui espère récupérer ses biens, Charles X prétend renouer avec l'Ancien Régime.

• Le mouvement insurrectionnel connu sous le nom des « Trois Glorieuses » met fin aux espérances des Bourbons. Louis-Philippe le « roi citoyen » est appelé au trône par la bourgeoisie où il règne « à l'anglaise », c'est-à-dire en s'appuyant sur les assemblées élues au suffrage censitaire.

• La révolution de 1848 proclame la seconde république qui reste liée à l'adoption du suffrage universel masculin.

• Vite reprise en main par la bourgeoisie, cette république qui se voulait sociale et généreuse va finalement conduire au césarisme du Second Empire.

• La période 1815-1850 est à considérer comme une étape conservatrice où la bourgeoisie possédante joue un rôle de plus en plus grand face à une aristocratie de moins en moins influente.

Étude des documents

Le sacre de Charles X

La cathédrale de Reims, lieu traditionnel des sacres, a été luxueusement décorée et aménagée pour une cérémonie à laquelle le roi veut donner une grande solennité.

Les murs sont tapissés de velours et de soies. Les draperies ornées de galons d'or portent les armes de la France et le chiffre du roi. Soixante lustres de trente-six bougies éclairent la scène.

Après avoir prononcé les serments, le roi Charles a reçu les éperons et l'épée, les insignes royaux que portaient les maréchaux. Il est vêtu du manteau royal de velours violet, doublé d'hermine et orné de fleurs de lys d'or.

Après avoir été couronné par l'archevêque de Reims, le roi va gagner, sous la voûte parsemée de fleurs de lys, le trône placé au fond sous un jubé richement décoré. On ouvrira les portes de la cathédrale pour que le peuple voit le monarque, on lâchera un vol de colombes.

Le jubé forme un arc de triomphe, comme au sacre de Napoléon. À la même hauteur que le trône, des tribunes font le tour de la cathédrale. Au-dessus de chacune d'elles on a placé les portraits des quarante rois de France, de Clovis à Louis XVIII.

Louis XVIII lui, ne s'était pas fait sacrer. En ressuscitant cette tradition (document 1 page 48) avec une pompe éclatante, Charles X obéissait à son désir de renouer avec tous les rites de l'Ancien Régime.

Ce décor clinquant, à l'image de la cérémonie, ne fit pas l'unanimité puisqu'un royaliste de tradition comme Chateaubriand n'y vit « qu'une scène devenue vulgaire ».

L'opinion publique y vit le symbole de la politique réactionnaire qu'entendait engager le roi, et qui finit avec le soulèvement parisien des Trois Glorieuses.

Le Conseil des ministres

Ce tableau représente le roi entouré des personnes constituant un ministre formé par Guizot. Ce fut le plus long du règne puisqu'il resta au pouvoir de 1840 à la chute du régime en 1848.

Le maréchal Soult debout devant le roi présente un projet de loi assurant la régence du royaume au duc de Nemours, second fils du roi.

Nous sommes en 1841, le roi a soixante-dix ans et son fils aîné vient de mourir des suites d'un accident.

Le prince héritier a quatre ans. Le problème de la succession se pose et les ministres veulent écarter du pouvoir la duchesse d'Orléans au profit du second fils du roi.

Opposé au document 1 de la page 120, ce tableau suggère un état d'esprit bien différent. Il y a eu entre-temps la révolution de Juillet et un changement de dynastie.

La comparaison avec le conseil de Louis XIV (document 1 page 76) révèle le chemin parcouru, l'évolution de l'institution royale.

	éléments d'observation	au XVIIᵉ siècle	sous Louis-Philippe
Le roi	vêtements	costume chamoiré d'or mis en valeur par l'artiste.	vêtement simple qui ne se distingue pas des autres.
	place occupée	préside en bout d'une table rectangulaire	assis parmi les autres personnages.
	attitude	le roi ordonne.	le roi écoute, regarde tourné vers le document présenté par le maréchal Soult.
L'entourage	vêtements	noirs austères.	variés, parfois plus décorés, plus voyants que le costume du roi.
	décorations	costume d'or du roi, aucune médaille.	des médailles sur la poitrine ou les épaules de quelques ministres. Le costume du roi laisse deviner une écharpe sous la veste.
	attitude	les regards convergent vers le roi. Attitudes de soumission, d'obéissance.	déférence, mais conscience de son rôle propre.
Le cadre	lieu le décor et l'environnement	salle haute : majesté royale renforcée par les deux statues ; table nue qui crée un espace, une distance entre le roi et ses conseillers.	cabinet de travail, décoré de tableaux, table arrondie chargée de dossiers. La lettre au centre constitue le premier plan du tableau. Son contenu est effectivement d'importance.

En ville

PAGES 122-123

• L'industrialisation du pays va peu à peu transformer les paysages français. Sans pouvoir encore parler d'exode rural, on assiste cependant à un flux de personnes qui venant de la campagne ou de l'étranger pour chercher du travail s'installent dans les nouveaux centres industriels.

• L'afflux de population vers les villes à la fois rapide et inattendu transforme l'aspect des villes et s'accompagne d'une misère effroyable.

Étude des documents

Les cinq étages du monde parisien

Cette scène illustre la « ségrégation verticale » de la société parisienne.

• Au rez-de-chaussée, la loge du concierge et les cuisines de l'appartement cossu du 1er étage.

• Au premier étage, l'étage dit « noble », l'appartement est confortable et luxueux : tentures aux fenêtres, tableaux accrochés aux murs, lustre qui dispense une lumière abondante, balcon sculpté. Les personnes sont habillés avec recherche.

• Le deuxième étage est occupé par une famille appartenant à la petite bourgeoisie. Sans être luxueux, l'appartement est confortable.

• Au troisième étage vit un couple de retraités. L'intérieur est modeste, il n'y a que l'indispensable. Dans l'appartement voisin, on assiste à une scène d'expulsion.

• Sous les toits, dans les combles, règnent le froid et la misère. Deux peintres dansent pour se réchauffer. Le personnage, au centre, dort à même le sol et se protège des fuites du toit avec un parapluie. À droite, une famille pauvre semble désespérée.

On remarque que les visiteurs, dans l'escalier, sont de moins en moins élégants au fur et à mesure des étages. Seul un chien monte jusqu'au dernier. Ce type de dessin mi-humoristique, mi-critique sociale était assez répandu entre 1840 et 1850. Il fait écho, de façon souriante, à la terrible « question du logement » dénoncée par le philosophe Engels, ou par le romancier Eugène Sue (*Les Mystères de Paris, Le Juif errant*).

Un déménagement par Boilly

Boilly est un des peintres les plus connus des trois premières décennies du XIXe siècle. Il aime les descriptions fines, jamais méchantes, toujours sensibles. Il y a chez lui beaucoup de spontanéité et de fraîcheur.

Le sujet de son tableau est l'un des problèmes urbains les plus cruels du début du siècle. La crise du logement sévit, et les loyers sont hors de prix. D'où les déménagements fréquents. C'est aussi l'occasion pour le peintre de décrire un quartier de Paris et son animation. On remarquera la représentation pittoresque du déménagement. L'aspect dramatique est pondéré par la scène du premier plan : deux chiens attelés grognent devant un troisième et mobilisent pour un instant l'attention des pauvres déménagés.

L'usine

PAGES 124-125

Pour mémoire

La puissance fournie par la vapeur permet d'entraîner des machines concentrées en grand nombre dans d'immenses bâtiments : l'usine remplace les ateliers.

Cela va peu à peu bouleverser les méthodes de travail et les rapports humains.

Étude des documents

Les revues du XIXe siècle aiment à représenter et à mettre en scène les entreprises industrielles. Sur cette gravure, on a une vue d'ensemble de l'usine Pleyel, le centre névralgique de la machine à vapeur et de la forge et enfin l'atelier de montage.

Une fabrique de pianos Pleyel

• **En haut de la gravure** : Les bâtiments de l'usine occupent un espace important, entouré par un mur contre lequel s'adossent les divers bâtiments : logements, magasins, bureaux.

Le centre est occupé par trois longs bâtiments parallèles. C'est là que s'effectue la construction des pianos.

Les hautes cheminées du bâtiment central, les tas de charbon indiquent la présence de puissantes machines à vapeur chauffées au charbon « de terre ».

Les tas de grumes dans la cour, le fardier qui pénètre dans l'usine, les tas de planches qui sèchent (à droite) indiquent la présence dans l'usine d'une scierie.

L'horloge située au sommet du bâtiment le plus haut rythme la cadence du travail, la vie des ouvriers qui jusque-là étaient habitués à travailler au rythme naturel du soleil, du jour et de la nuit, de l'été et de l'hiver.

On remarquera la fonctionnalité du site, que l'on recherchera sur une carte de la banlieue parisienne. On constatera que la Plaine-Saint-Denis, vaste étendue non construite au XIXe siècle est aujourd'hui densément occupée et fait partie de l'ensemble urbain de Paris et sa couronne.

• **Au centre de la gravure** : Deux immenses chaudières produisent l'énergie nécessaire pour actionner le volant de régulation que l'on aperçoit sur la droite. Deux ouvriers sont là pour alimenter le feu en charbon et pour surveiller le fonctionnement des machines.

Les nombreuses courroies permettent de transmettre aux machines la force produite par la machine à vapeur. Elles constituent pour les ouvriers un danger permanent. On imagine le bruit qui doit régner dans cet espace.

La hotte, l'enclume, la masse indiquent la présence d'une forge. On produit sur place tous les éléments métalliques nécessaires dans un piano.

• **En bas de la gravure** : Une salle immense : c'est là que s'effectue le montage des pianos. On pourra comparer avec la fonderie de canons et avec la manufacture des Wetter. On est effectivement, désormais, devant un travail rationalisé, le montage des pianos requiert toutefois une compétence quasi artisanale.

Au XIXe siècle, la vogue du piano est très grande. Toute famille de la bourgeoisie et des classes moyennes en possède un. Le piano est l'élément indispensable de la sociabilité : on écoute les artistes jouer du piano (Chopin, Liszt) mais surtout on anime les soirées en dansant au son du piano. Savoir jouer de cet instrument est la marque d'une bonne éducation.

Une filature vers 1850

Au XIXe siècle, le filage se fait de façon mécanique. Des enfants actionnent des rouets pendant que les femmes, un paquet de laine brute sous le bras, filent et remplissent la quenouille qui se trouve à l'opposé de la pièce.

Le travail des femmes et des enfants

Dans certaines industries, pour des tâches répétitives on recrute de préférence de la main-d'œuvre féminine ou des enfants. On les paie moins cher, ils sont plus dociles.

Les conditions de travail sont souvent effroyables et les journées interminables de 16 à 18 heures.

Il faut attendre 1841 pour qu'un texte de loi interdise le travail des enfants de moins de huit ans et réglemente le travail des enfants de 8 à 12 ans (8 h par jour) et de 12 à 16 ans (12 heures par jour). Le texte fut jusqu'à la fin du siècle très mal respecté par manque de contrôle systématique.

On est très loin de la cité idéale imaginée par N. Ledoux et du bonheur lié à l'idée de progrès tel que le pensaient « les Lumières ».

L es artistes, témoins de leur temps

PAGES 126-127

Pour mémoire

• À partir de 1815 le climat politique est agité. Les idéologies s'affrontent. Toutes ces contradictions rejaillissent sur les mouvements de pensée et les arts qui vont transporter sur le plan culturel le débat idéologique que la censure des journaux interdit.

• Par les sujets qu'ils évoquent et le traitement des œuvres qui s'opposent à l'art officiel et aux traditions, les romantiques se font l'écho des manifestations de révolte contre l'ordre établi.

• La prodigieuse galerie de portraits laissée par le peintre Ingres constitue un véritable miroir de la société bourgeoise de son temps, de cette classe à laquelle il appartenait.

• La vie contemporaine devient matière à œuvre d'art. Elle inspire le peintre Courbet qui cherche ainsi à réagir contre *la peinture trop nette, le niais, l'entortillé... les fadeurs écœurantes et les sucreries fondantes.* Pour Courbet peindre le réel constitue un engagement politique.

Étude des documents

La liberté guidant le peuple

Le premier plan est un charnier où mourants et blessés gisent dans des attitudes qui évoquent l'horreur du combat qui se déroule au-dessus, dans la fumée. De chaque côté, des insurgés se ruent à l'assaut. Ils portent des vêtements civils. C'est une armée de rencontre, un soulèvement spontané qui se compose aussi bien d'un gamin des rues qui brandit deux pistolets que d'un étudiant un peu guindé portant un haut-de-forme.

Au centre, un blessé jette un regard d'extase sur le visage de la liberté qui domine le combat mortel en brandissant le drapeau bleu, blanc, rouge.

Mi-femme du peuple, mi-déesse, la liberté apparaît comme la proue d'un navire que rien n'arrêtera.

Le mouvement, le tumulte qui domine ce tableau ne doit pas occulter le coin du vieux Paris qui se profile à travers la fumée des coups de feu. Un drapeau minuscule flotte sur une tour de Notre-Dame.

Le peintre traduit bien cette nouvelle sensibilité faite de liberté dans la composition, la recherche de couleurs, la violence dans l'expression des sentiments.

Portrait de monsieur Bertin

Monsieur Bertin porte un costume sobre, sans recherche particulière, en dehors de la montre à gousset en or retenue au gilet par une chaîne.

Bien installé dans son fauteuil, les mains appuyées sur les genoux, monsieur Bertin apparaît comme un homme cossu, sûr de lui.

À côté du portrait physique, Théophile Gautier admire le côté moral de l'homme. Il voit dans ce tableau *l'autorité et l'intelligence, la richesse acquise et la juste confiance en soi*.

Toutes les caractéristiques du bourgeois qualifié d'« honnête homme » sous Louis-Philippe.

Le dessin des mains, le soyeux de la peau, le choix des indications caractéristiques donnent à ce portrait un grand accent de vérité. Ingres condamne l'exagération des romantiques qu'il juge trop éloignée de la nature.

Aux yeux de la bourgeoisie dirigeante, il incarne la quintessence de la culture artistique de son temps.

Ingres aurait « croqué » monsieur Bertin alors que celui-ci recevait un neveu, venu lui demander de l'argent.

Paysans revenant de la foire

Ce tableau nous apparaît comme un instantané, ce pourrait être une photo. L'homme de droite, le cheval au centre vont sans aucun doute poursuivre leur marche.

On a l'impression que dans ce tableau, tout est vrai : l'aspect des personnes, leurs vêtements, leurs manières, les animaux, les objets. Tout reste près de la nature avec un souci de respecter l'exacte vérité.

Nous n'avons pas affaire ici à des figures anonymes réalisées à partir de modèles professionnels mais au portrait réel, à une scène banale mais digne où chaque acteur est reconnaissable.

En 1848, face à la peinture académique qui cherche plutôt ses sources d'inspiration dans une antiquité remise au goût du jour, il n'est pas innocent de représenter de cette manière de simples paysans.

Avec le suffrage universel, la paysannerie est majoritaire en France. Les notables doivent désormais compter avec elle. Il y a dans les tableaux de Courbet une dimension idéologique qui dépasse le pittoresque d'une scène de genre.

Le coin du savant (p. 128)
La galerie des ancêtres (p. 129)

Ces pages sont à lire en classe et à la maison.

La première moitié du XIXᵉ siècle a vu la mise au point de la machine à vapeur adaptée à tous les usages. Mobile, elle a permis le steamer et la locomotive, alors pourquoi pas la charrue à vapeur ? À la fin du siècle on inventera même une voiture à vapeur !

La mécanisation de la filature avait précédé la mise au point de la machine à vapeur. Soit grâce à un volant tourné à la main, soit grâce à un manège à chevaux, des dizaines de fuseaux pouvaient être mis en mouvement en même temps. Avec la force de la vapeur, des centaines, des milliers de « broches » pouvaient cette fois entrer en fonctionnement. La révolution industrielle pouvait commencer, vraiment.

Parmi les auteurs qui symbolisent le mieux leur siècle, il faut citer **Victor Hugo** et **Alexandre Dumas**. Cependant, cette première moitié du XIXᵉ siècle, fertile en auteurs inoubliables (Stendhal, Musset ou le grand Balzac) est aussi l'époque où George Sand produit quelques-uns de ses plus beaux romans. On citera, en particulier, le Compagnon du Tour de France, moins connu que ses romans berrichons.

Chapitre 11

Au Second Empire

Au Second Empire

PAGES 130-131

Décrié par ses successeurs, notamment, parce qu'impérial et défait à Sedan, le Second Empire est pourtant une période d'expansion économique et culturelle exceptionnelle.

Pour mémoire

Au cours de cette période très courte, de profondes transformations bouleversent :

• **le monde du travail** : la production industrielle devient déterminante. L'activité minière prend une importance fondamentale. L'usine est le nouveau cadre de production où est exploitée une catégorie sociale désormais nombreuse : les ouvriers.

• **les moyens de communication** : sur terre, le chemin de fer révolutionne les transports et désenclave les campagnes les plus reculées. Sur mer, des lignes régulières permettent de relier le pays au reste du monde.

• **le monde des villes** : l'exode rural, impulsé par l'industrialisation et facilité par le chemin de fer, entretient une croissance urbaine inconnue jusqu'alors. Il devient indispensable d'aménager la ville pour la rendre fonctionnelle à la circulation et à ses habitants.

• Sur le plan politique, le Second Empire est un retour au régime personnel et autoritaire d'un homme : Napoléon III, qui sert les intérêts de la bourgeoisie. La défaite de 1870 marque la fin de son règne. La France perd l'Alsace-Lorraine et connaît l'épisode tragique de la Commune.

Étude des documents

Un dîner de gala

Ce tableau met l'accent sur la mise en scène somptueuse des réceptions impériales :

• Au premier plan : des femmes en crinoline, des hommes en habit et décorations s'apprêtent à prendre place. On note le luxe des toilettes féminines, les coiffures compliquées, l'aspect mondain de la réception.

• Sur le balcon, dominant la salle, la table impériale a été dressée sous le dais constitué de tentures de velours brodées d'or.

L'exposition universelle

Le Palais de l'Industrie est représentatif des nouveaux matériaux dont dispose l'architecture du XIXe siècle.

Résistant, léger et facile de manipulations, ce matériau permet de réaliser de sérieuses économies et des prouesses de créativité par rapport à la pierre.

Le bâtiment que l'on voit sur cette lithographie est un immense hall rectangulaire. La toiture est demi-sphérique grâce à une armature de poutres métalliques et d'une couverture en verre. La salle est inondée de lumière ce qui accroît l'allure féerique de l'édifice.

Au premier plan, à gauche une locomotive, tandis qu'au second plan deux engins de levage encadrent un plan d'eau circulaire décoré d'un parterre de plantes vertes.

Dans les allées, une foule se presse pour venir découvrir les dernières innovations technologiques. Elle rassemble les gens de la haute société mais aussi les souverains qui viennent du monde entier pour assister à ces manifestations exceptionnelles.

Repères chronologiques

Il s'agit d'une période homogène : celle du Second Empire. En fait, elle n'est pas uniforme, mais ce n'est pas son évolution interne qui nous retient à l'école élémentaire. Ce qui nous intéresse, c'est la correspondance entre un mouvement de fond – l'industrialisation – et ses conséquences d'ordre technologique (Exposition Universelle, la réalisation du Canal de Suez) ou d'ordre social (droit de grève).

L'exploitation des mines

PAGES 132-133

Pour mémoire

• L'extraction charbonnière est la clef de voûte de la « première révolution industrielle » : source d'énergie, elle alimente les machines à vapeur, matière première, elle est indispensable à la fabrication de la fonte et de l'acier.

• L'exploitation d'une mine nécessite une gestion rationnelle à grande échelle.

• Les conditions de travail y sont particulièrement inhumaines. La réglementation permet d'exploiter hommes, femmes et enfants.

• Les mines deviennent des centres industriels importants qui déterminent l'activité de toute une région. Une nouvelle carte industrielle se dessine.

Étude des documents

L'extraction du charbon vers 1850

Sur ce tableau de Bonhommé, trois actions sont présentées.

• L'extraction du charbon : trois ouvriers arrachent le charbon de la paroi à l'aide de pics. Ils sont installés dans des positions inconfortables : courbé, à genou ou allongés sur le dos. Derrière eux, une équipe de deux mineurs est en train de boiser la galerie pour empêcher qu'elle ne s'effondre. Cette technique sera en usage pendant plus d'un siècle. Pour travailler, les mineurs sont équipés de lampes de sûreté. Leur emploi se généralise à partir de 1823, il évite de provoquer des explosions dues à la présence de gaz appelé « grisou ». C'est un Anglais qui l'a inventé après avoir observé que la combustion explosive du mélange air-grisou ne se transmettait pas au travers de très petits orifices.

• L'acheminement du charbon : il est assuré par des wagonnets se déplaçant sur des rails. Ils sont tirés par des chevaux ou des enfants. Les tonneaux remplis de charbon prennent en sens inverse le tunnel qu'empruntent les mineurs pour descendre au fond

• La descente des mineurs dans les puits : elle s'effectue dans les tonneaux qui servent à remonter le charbon, dans le puits principal. L'autre puits permet la ventilation des galeries et sert en cas de secours.

La houille est extraite dans de nombreux bassins situés pour la plupart autour du Massif central mais surtout dans le Nord-Pas-de-Calais qui assure à lui seul les 2/3 de la production.

Un atelier de tri et de criblage

L'activité qui a lieu à la surface est importante : elle s'organise de façon rationnelle dans un vaste atelier où de puissantes machines servent au lavage du minerai. Il est ensuite trié et criblé par des enfants et des femmes sous la surveillance d'un contremaître qu'on aperçoit à l'arrière-plan, à l'extrême gauche. Les travaux pénibles et fastidieux se déroulent dans une ambiance assourdissante et suffocante de poussière.

Les tableaux de Bonhommé, nombreux à l'Écomusée du Creusot, constituent un témoignage exceptionnel pour cette période.

Bonhommé est né à Paris en 1809. Il a été l'élève d'Horace Vernet, avec qui il partage le goût pour l'observation précise. Presque toute son œuvre a été consacrée à la peinture du monde industriel, en particulier au Creusot, chez les Schneider.

La carte (p. 202)

Elle permet de situer les principaux bassins charbonniers. Ils déterminent la création de régions industrielles, car on implante sur le bassin charbonnier les usines qui ont le plus besoin de la vapeur comme source d'énergie : industries sidérurgiques et industries textiles. Ce sont ces régions-là qui ont été le plus victimes de la désindustrialisation des années 1970, et où les témoignages du patrimoine industriel sont les plus nombreux aujourd'hui.

L es grandes usines

PAGES 134-135

Pour mémoire

Un nouvel établissement industriel apparaît : la grande usine. Vaste, moderne, rationnel, il est très mécanisé et utilise des machines de plus en plus perfectionnées.

La première moitié du XIXe siècle est une période pendant laquelle les conditions de travail et le niveau de vie des ouvriers se détériorent.

Étude des documents

Le marteau-pilon

Les ouvriers viennent de sortir du four une énorme pièce grâce à un appareillage de levage compliqué. La pièce est fixée sur un dé en bois lui-même monté sur une échelle horizontale. Ce système permet de la déplacer. L'ensemble est soulevé grâce à une énorme poulie métallique dont la manivelle est actionnée par un groupe de 12 ouvriers. L'opération consiste à placer la pièce incandescente sous le marteau-pilon qui l'aplatira. Elle mobilise 25 ouvriers. C'est un travail spectaculaire et éprouvant. Le marteau-pilon à vapeur a eu un rôle central au Creusot, au point qu'une statue lui a été édifiée.

Une filature mécanique

L'industrie du coton se développe dans trois régions : le Nord avec Lille, Roubaix, Tourcoing et surtout l'Est avec Mulhouse et la région de Rouen.

Le coton fabriqué est teint et blanchi, aussi l'industrie chimique est-elle corrélativement très développée sur les régions textiles.

Par rapport à l'industrie lainière ou de la soie, l'industrie du coton est beaucoup plus mécanisée. Les machines à filer sont d'immenses « renvideurs » sous la responsabilité d'un fileur. La machine va et vient pour enrouler le fil et le tordre. Chaque fileur travaille avec une petite équipe de trois à quatre personnes. La bobineuse assure le changement des bobines et leur transport dans des paniers d'osier. Si les fils cassent sur la machine, deux enfants sont chargés de les rattacher, c'est pourquoi on les appelle des « rattacheurs ». Le fileur paie la bobineuse et les rattacheurs sur son propre salaire.

La description du document fait apparaître les hiérarchies qui existent dans l'entreprise. Le patron de l'usine discute avec le contremaître, alors que l'ouvrier-fileur s'adresse à la bobineuse et son aide, et que le rattacheur accompagne le mouvement du renvideur. Très souvent, les rattacheurs passaient sous la machine, pour rattacher les fils, au risque d'accidents graves.

Les ouvriers travaillent dans le vacarme assourdissant des machines. L'air est souvent malsain à cause d'innombrables particules mêlées à l'air et qui provoquent de multiples cas de « phtisie cotonneuse ». L'employeur fait régner une stricte discipline. Les amendes sont tarifées et un livret ouvrier est exigé jusqu'en 1890. En échange de son travail, l'ouvrier reçoit un salaire modeste. Les calculs qui ont été effectués montrent que le salaire du chef de famille est insuffisant pour nourrir tout le monde. Le salaire de la femme est nécessaire, ainsi que celui des enfants en âge de travailler. Même ainsi, le salaire ne fait que couvrir les besoins élémentaires : se nourrir, se chauffer, se vêtir, se loger. Aussi l'accident ou la maladie sont-ils redoutés comme une vraie catastrophe.

*L*a révolution des transports

PAGES 136-137

Pour mémoire

• La construction du réseau ferroviaire en France est réalisée en l'espace de trente ans (1842-1875). Cette rapidité s'explique par la convergence d'intérêt des financiers, des industriels et de la volonté de Napoléon III.

• Les progrès techniques (marteau-pilon, puddlage...) permettent de fabriquer le matériel ferroviaire ainsi que celui destiné aux chantiers navals. Ces deux débouchés accélèrent le développement de l'industrie sidérurgique.

• Les conséquences de la révolution des transports sont multiples.

• En France, le chemin de fer achève l'unité nationale, il permet de communiquer facilement avec les régions les plus éloignées ou les plus enclavées. Il favorise l'exode rural : ce phénomène s'accélère dans la seconde moitié du XIXe siècle. Il renforce la centralisation en faveur de Paris car toutes les grandes lignes convergent vers Paris.

• Les transports maritimes mettent en relation toutes les régions du monde : chemins de fer associés à la navigation seront les outils qui permettront l'exploitation des colonies.

Étude des documents

La gare du Nord en 1864

Elle est composée d'un grand hall de forme rectangulaire qui abrite les rails de chemins de fer. Il est flanqué de deux ailes plus étroites où sont installés différents services offerts à la clientèle.

Au départ (à droite du hall) les voyageurs disposent d'une cour, d'une salle de bagages, d'un bureau de messageries, d'un bureau des billets, d'une salle d'attente. À leur arrivée en gare (à gauche) ils peuvent se diriger vers la consigne, la salle des bagages, la salle d'attente, les douanes, le bureau des messageries ou tout simplement vers la sortie. La façade est de style très classique. Construite en pierre taillée, la façade dissimule l'immense charpente métallique qui couvre le hall de la gare. Au centre de l'axe de symétrie, une immense arche vitrée est encadrée par de hauts pilastres ioniques. Toute la façade est rythmée par une série de colonnes.

Son allure monumentale est renforcée par les statues à la gloire de Paris et des provinces du Nord de la France.

Le canal de Suez

Le canal de Suez a été inauguré en 1859 par Napoléon III. Ce projet de relier la Méditerranée et la mer Rouge avait été envisagé sérieusement dès l'occupation de l'Égypte par Napoléon. Les études ont été menées par des ingénieurs français : Ferdinand de Lesseps avec l'appui de Napoléon III et l'accord du vice-roi d'Égypte crée la Compagnie universelle du canal maritime de Suez.

Cette lithographie rend compte de l'ambition du projet et des difficultés à surmonter : la largeur du canal rectiligne, l'aménagement des berges, les travaux de terrassement pour les chemins de halage destinés à tirer les convois sur l'eau, le tout dans un milieu environnant totalement aride.

Sur le canal on observe un convoi tiré par un petit remorqueur à vapeur. Derrière lui, un gros navire avance grâce à une roue à aube actionnée par une machine à vapeur ; en cas de vent, il peut utiliser ses voiles. Ce bateau bat pavillon égyptien. Sur les rives du canal, des felouques égyptiennes attendent une cargaison éventuelle. Le chemin de halage est emprunté par des caravanes de chameaux.

En longeant ainsi l'Égypte, l'Arabie Saoudite, le Soudan, le Yémen, l'Éthiopie et la Somalie, le canal de Suez évite de contourner l'Afrique en passant par le cap de Bonne Espérance. C'est la route la plus directe pour se rendre aux Indes et en Chine. Du point de vue politique, la réalisation de ce canal fut un grand succès français, face aux Anglais, qui déjà se taillaient un Empire en Asie.

*L*es transformations de Paris

PAGES 138-139

Pour mémoire

• Dans la deuxième moitié du XIXᵉ siècle, la population des grandes villes françaises augmente rapidement. Celles-ci deviennent le centre des activités commerciales et industrielles modernes.

• À Paris, Napoléon III charge le préfet de la Seine, Haussmann du projet de rénover la ville pour en faire une capitale moderne : de nouveaux axes de circulation sont tracés, des édifices publics sont construits ainsi que le réseau d'adduction d'eau, de gaz et d'égouts. Un nouveau type d'immeubles s'impose, au sein de « beaux quartiers ». Les « classes dangereuses » sont reléguées à la périphérie de la capitale.

• En province, les villes moyennes restent stables ; cependant l'arrivée du chemin de fer donne naissance à de nouveaux quartiers, elle fait éclater la vieille ceinture de remparts où l'on aménage boulevards et « promenades ».

Sous les rues de Paris

Haussmann repense complètement les fonctions des axes de communication urbains, il les hiérarchise. La nouveauté, c'est l'avenue conçue comme étant à la fois voie de liaison, artère commerçante, lieu résidentiel et élément décoratif.

La rue d'antan change aussi de physionomie : parfaitement plate, elle est désormais pavée, bordée de caniveaux (conduisant à des bouches d'égouts) et de larges trottoirs. La nuit, elle est éclairée, à intervalles réguliers par des becs de gaz.

Sous la rue, l'équipement est également impressionnant par le nombre de canalisations d'eau, d'égout et de gaz. À noter que seuls les immeubles modernes et les catégories aisées en bénéficient.

Les égouts sont en fait un canal souterrain qui déverse les eaux usées dans la Seine. Aujourd'hui, elles sont recyclées dans des stations d'épuration : on récupère les boues résiduelles et on les utilise comme engrais pour l'agriculture.

Toutes ces canalisations sont accessibles par des souterrains afin qu'elles puissent être contrôlées et entretenues.

Cependant, ce document ne rend compte que des caractères essentiels des « beaux quartiers » situés à l'ouest. La circulation montre quelle catégorie sociale utilise les quartiers : calèches, groupes d'élégants à pied, luxe tranquille.

Le percement de l'avenue de l'Opéra

Les travaux d'Haussmann visent trois objectifs, faire de Paris :
• une ville fonctionnelle afin de favoriser son essor économique ;
• une ville sûre où l'armée pourra mettre rapidement à la raison d'éventuels insurgés ;
• une ville où la bourgeoisie pourra s'installer dans de beaux immeubles, à l'écart des classes « dangereuses ».

Pour construire l'avenue de l'Opéra, il a fallu abattre un ancien quartier et niveler la butte Saint-Roch. Les terrassiers creusent au pic, déblaient la terre à la pelle. Une grue à vapeur est installée sur des rails, elle benne les gravats dans des tombereaux attelés à des chevaux.

*L*es grands magasins

PAGES 140-141

Pour mémoire

L'activité commerciale prend une forme nouvelle avec la naissance des grands magasins : leurs nouvelles techniques de vente révolutionnent les habitudes de la clientèle.

Les grands magasins sont situés dans les quartiers chics de Paris, le long des nouvelles avenues. Ils contribuent à les rendre attractives et animées.

Les quartiers aisés deviennent le centre financier, économique, culturel, commercial de Paris reconquis par les classes possédantes. Ce modèle est imité dans les grandes villes de province.

Étude des documents

Affiche publicitaire du Bon Marché

L'affiche s'organise autour d'un escalier à double accès qui fait découvrir à chacun de ses cinq niveaux, les trésors d'une multitude de rayons. Leur spécialité est inscrite sur un bandeau en volutes innombrables : coupeurs pour confection, coupeur pour chemises et gilets de flanelle, ateliers de lingerie, ateliers de confection, bureau des expéditions. Une foule d'élégants, hommes, femmes et enfants se pressent aux comptoirs, dans l'escalier. Elle contraste avec l'ordonnancement impeccable de la marchandise, du maintien stylé des employés souvent masculins. Au centre, en médaillon, la devise du magasin couronnée par l'emblème de la ville de Paris. En bas, l'adresse du magasin.

En 1852, Aristide Boucicaut, fils d'un simple chapelier de province, chef de rayon d'un magasin de nouveautés, devient l'associé d'un patron d'un grand magasin : « Le Bon Marché ». Il met au point de nouvelles techniques de vente :
— le prix fixe et marqué succède au marchandage ;
— les marges bénéficiaires sont compressées ;
— un slogan : *On reprend la marchandise qui a cessé de plaire* attire les foules.

Le succès du Bon Marché est également fondé sur de nouvelles méthodes commerciales :
— limitation des bénéfices aux environs de 5 % ;
— autonomie des différents rayons ;
— publicité grâce aux catalogues largement distribués, aux envois d'échantillons, au « bureau de correspondance »...

D'autres grands magasins sont créés sur ce modèle. Ils attirent aussi bien la clientèle aisée que des acheteurs plus modestes, et connaissent un succès grandissant jusque dans la seconde moitié du XXe siècle.

L'animation d'une rue autour d'un grand magasin

Le grand magasin est situé à l'angle d'un carrefour au bord de la Seine. Les avenues sont très larges, bordées de trottoirs, d'arbres et de lampadaires à gaz.

La plus grande animation règne à cette heure de la journée : calèches, cabriolets, coupés, chariots bâchés, omnibus affluent de toutes parts. Les promeneurs circulent sur les trottoirs et au milieu de la chaussée sans se soucier des risques d'accident ni de la gêne qu'ils provoquent.

L'architecture du magasin est métallique : les planchers des étages sont soutenus par des piliers de fonte. Ainsi, le rez-de-chaussée et les étages sont dégagés entièrement, tout en ayant une armature solide, discrète et de larges baies vitrées. Le nombre et la taille des fenêtres diminuent au fur et à mesure qu'on monte dans les étages. Elles sont encadrées par de la pierre de taille richement sculptée. Les toits mansardés sont couverts d'ardoises et hérissés de cheminées.

De la guerre de 1870 à la Commune de Paris

PAGES 142-143

Pour mémoire

• La France perd la guerre de 1870 contre la Prusse. L'armée est vaincue, Napoléon III est fait prisonnier, le Nord de la France est occupé, Paris encerclé.

• Le 4 septembre 1870, la République est proclamée. Elle continue la guerre mais elle est contrainte à la capitulation.

La défaite provoque la division du pays. Elle oppose ceux qui l'acceptent et soutiennent les décisions du gouvernement provisoire et les Parisiens qui refusent de s'avouer vaincus. Ces derniers se donnent un gouvernement révolutionnaire : **la Commune**.

• La Commune n'a duré que quelques semaines (mars à fin mai 1871). Elle est considérée comme exemplaire par la hardiesse des réformes sociales qu'elle a adoptées Une terrible répression y met fin. 30 000 morts estimés, 50 000 personnes déportés en Nouvelle-Calédonie.

• Le traité de paix de Versailles qui proclame l'Empire allemand alimentera l'esprit de revanche et justifiera aux yeux de beaucoup la guerre de 1914-1918.

Étude des documents

Les misères de Paris pendant le siège

Le gouvernement provisoire a donné priorité à la défense du pays et à la poursuite de la guerre. Malgré ses efforts, Paris est assiégé depuis le 19 septembre 1870. Gambetta, ministre de la Guerre et de l'Intérieur quitte Paris en ballon et met toute son énergie à organiser la résistance, sans succès pour les troupes françaises.

Dans la capitale, les conditions de vie des habitants s'aggravent : l'hiver 1870-1871 est très rigoureux ; les Parisiens complètement isolés sont privés de moyens de chauffage et d'éclairage, de nourriture, de bois ; la famine menace, tous les animaux de la ville sont sacrifiés et le rat est une viande de luxe ! Malgré ces maux, les Parisiens conservent l'espoir parce qu'ils sont unis et solidaires. Finalement, le gouvernement se résout à demander l'armistice aux Allemands. Thiers signe le 26 février à Versailles, les préliminaires de paix que l'assemblée ratifie le 1er mars.

Les journaux de la Commune

À l'annonce de la capitulation, la ville de Paris se couvre de barricades et se donne un gouvernement révolutionnaire : la Commune (1871).

Les membres du Conseil de la Commune prennent des mesures pour affermir la République. Ils établissent l'autonomie communale, l'État étant un ensemble de communes fédérées, et adoptent le drapeau rouge. Ils instaurent la séparation de l'Église et de l'État. Désormais, l'instruction doit être laïque, gratuite et obligatoire. Des mesures sont prises pour les bibliothèques, les musées, les écoles de musique. Ils interdisent le travail de nuit pour les femmes et les enfants. Ils décident la liberté de réunion et d'association et la liberté de la presse, illustrée ici par cette affiche. Onze journaux sont représentés dans les médaillons avec, en effigie, leur père-fondateur. Leur nom évoque des principes proclamés du temps de la Révolution française : *le Salut Public*, *l'Ami du Peuple*.

Le chef du gouvernement versaillais, Thiers décide de reprendre Paris, c'est la guerre civile : les communards se protègent derrière des barricades qu'ils ont construites en travers des rues avec des pavés, des tonneaux… Pour se défendre, ils ont un canon et quelques fusils à baïonnette.

Férocement réprimée, la Commune aura été une expérience sociale brève mais ses répercussions seront grandes auprès de tous les mouvements ouvriers européens.

Les artistes, témoins de leur temps

PAGES 144-145

Pour mémoire

À partir du milieu du XIXᵉ siècle, l'expression artistique se diversifie notablement grâce à des inventions nouvelles. La chimie crée de nouvelles couleurs ; le tube d'étain facilite le travail du peintre ; les nouvelles facilités de communication, avec le chemin de fer, permettent au peintre de sortir de son atelier. En outre, le rôle social écrasant de la bourgeoisie influence les sujets de la peinture. À côté des genres connus (peinture historique, peinture mythologique, peinture religieuse, portraits et scènes de genre) apparaissent d'autres modes d'expression, où la bourgeoisie se reconnaît et se met en scène. Les impressionnistes, après avoir profondément choqué les partisans de la peinture officielle, connaissent un vif succès, car la bourgeoisie aime leurs paysages tranquilles et leur technique picturale simple mais efficace. Parmi les peintres impressionnistes, certains, influencés par les expériences de physique sur la décomposition de la lumière tentent de donner à leur peinture l'impression de la lumière qui bouge sur les êtres et les choses, en lui donnant la couleur et le relief.

L'inspiration de cette peinture (courants réalistes, impressionnistes, mais aussi ceux que l'on a appelé les « pompiers ») est tirée du quotidien.

La peinture du XIXᵉ siècle est indissociable du regard que la société dominante porte sur elle-même et sur les autres catégories sociales. En cela, elle est riche d'enseignements pour l'historien et mérite d'être qualifiée « témoin de son temps ».

Étude des documents

Les Glaneuses

Toute sa vie, Millet (1814-1875) se sera attaché à peindre la condition paysanne dans sa rude mais émouvante simplicité. Rattaché à l'école des réalistes, à la suite de Courbet, il refuse les enjolivures d'une « légende rose » paysanne. Aussi lui reprochera-t-on durement sa « trivialité », en allant jusqu'à traiter d'obscènes ses portraits de femmes, sans indulgence, comme ici *Les Glaneuses*.

Au premier plan, trois paysannes fouillent le sol du regard. Elles sont habillées d'une robe longue en gros drap, d'un tablier de jute, d'un fichu sur la tête qui leur cache le visage.

Toutes trois sont occupées à ramasser les tiges et les épis qui ont échappé à la vigilance du moissonneur. Toutes trois procèdent de la même manière : le corps courbé, la main droite ramasse, stocke sa petite moisson dans la main gauche où se forme un petit fagot. Les épis sont tous disposés dans le même sens. Ceux dont la tige est trop courte sont enfournés dans ce qui sert de sac et qui n'est que le tablier rabattu et noué sur les reins. C'est toute la journée de labeur qui pèse sur ces dos courbés.

On reprocha à Millet ces corps lourds, ces mains aux doigts déformés par le travail, ces attitudes sans grâce. On lui reprocha aussi de traiter le sujet comme d'une revendication sociale : au premier plan, la misère étalée de ces trois femmes tandis qu'au lointain le contremaître, à cheval, surveille la foule des ouvriers agricoles qui rentrent la moisson pour le compte d'une grosse exploitation agricole que l'on devine dans le village, au loin.

Réunion de famille

Bazille était un peintre du Midi. Né à Montpellier, il est sensible à la lumière forte de sa région natale. Ami de Manet et de Monet, il recherche les effets de la lumière, sur les matières les plus différentes. Sa carrière fut hélas très courte puisqu'il mourut à 29 ans, en 1870, dans les combats de la guerre franco-prussienne.

Cette scène a lieu en été : les arbres baignent d'ombre la terrasse par leur verdure. Un bouquet de fleurs des champs jonche le sol. Le soleil est haut dans le ciel, il traverse le feuillage. On est au milieu de la journée.

Le portrait de groupe familial est à la mode. Tel un photographe, Bazille saisit sur le vif cette famille de la haute bourgeoisie. Elle est en train de prendre le frais sous le marronnier de la terrasse, après avoir affronté les rayons du soleil au cours d'une promenade champêtre.

Les visages sont presque tous dirigés vers le peintre, comme s'ils attendaient que celui-ci prenne un cliché photographique.

Les sociétés urbaines

Peintre des ballerines et des chevaux, excellent portraitiste, Degas (1834-1917) est aussi le peintre des scènes de la vie quotidienne. Ce tableau *Blanchisseuses portant du linge en ville* fut accueilli diversement au Salon de 1879.

L'entretien du linge, toujours manuel constituait une importante activité en ville ; la blanchisseuse était un personnage de la vie sociale populaire.

Manet a été un ami de Degas. Né en 1832 dans une famille aisée, il a pu se consacrer toute sa vie à son art. Fortement influencé par la peinture espagnole, en particulier celle de Goya, il a joué lui-même un rôle fondamental dans la peinture française, en exposant *Le Déjeuner sur l'herbe*, en 1863 dans le fameux « Salon des Refusés ». Il ne peut pourtant pas être classé parmi les impressionnistes, tant sa personnalité est forte.

Il a observé son époque avec tendresse. Comme Degas, il a peint les scènes les plus quotidiennes comme cette *Serveuse de bocks*. Il meurt, aimé de tous, en 1883.

Le coin du savant (p. 146)
La galerie des ancêtres (p. 147)

Ces pages sont à lire en classe et à la maison.

Les travaux de Darwin ont entraîné des débats sans nombre, et sans doute la sélection naturelle n'est-elle pas le seul critère d'explication de l'évolution des sociétés. Il n'en reste pas moins vrai que Darwin a posé les bases d'une étude scientifique de l'humanité, bases que la Papauté vient tout juste de reconnaître, en 1996.

Les progrès de la communication sont spectaculaires. La méthode de Morse permet d'utiliser des signaux électriques, le long de câbles installés à cet effet. L'ennui, c'est qu'il faut dérouler des milliers de kilomètres de câbles à travers la prairie des États-Unis ou sous les océans. Par ailleurs on ne peut pas joindre un véhicule ou un navire, ou encore moins un aéronef ! Enfin, dernier inconvénient : les lignes peuvent être coupées accidentellement, ou volontairement.

Le XIXe siècle est aussi celui de la **médecine**. Outre la figure de Pasteur, sacralisée par la IIIe République, on peut mentionner Claude Bernard, fondateur de la méthode expérimentale.

Beaucoup de femmes ont marqué le XIXe siècle, mais aucune peut-être n'a la personnalité attachante de **Louise Michel** ; notons que la revendication féministe caractérise le XIXe siècle mais n'aboutira pas, pour la France, avant les années 1970.

Chapitre 12

La Belle Époque

*L*a Belle Époque

PAGES 148-149

Dans les années 1880, l'économie française était plongée dans une longue dépression (baisse des prix, stagnation de la production). À partir de 1895, les prix montent, la croissance repart, l'économie prospère : c'est la Belle Époque à laquelle mettra fin la Première Guerre mondiale.

Pour mémoire

• **Des sources et formes d'énergie nouvelles** viennent concurrencer la suprématie du charbon : énergie hydroélectrique, électricité, pétrole et moteur à explosion. De nouvelles branches industrielles apparaissent, on parle de seconde révolution industrielle. **L'Europe entre dans l'âge d'or de l'acier**, comme le montre l'Exposition Universelle de 1889.

• Face à ce nouveau développement de l'économie industrielle, les ouvriers se groupent en **syndicats** (1884). La charte d'Amiens (en 1906) précise le rôle de la C.G.T. ; progressivement et souvent au prix de **grèves** qui se terminent dans le sang comme à Fourmies le 1er mai 1891, les ouvriers obtiennent des améliorations de leurs conditions de travail.

• L'agriculture, pour faire face à la concurrence des pays neufs, se modernise peu à peu et spécialise sa production, mais l'évolution est lente. Les campagnes sont frappées par **l'exode rural**.

• Les villes se dotent d'équipements nouveaux (eau courante, gaz de ville, éclairage des rues) ; elles sont de plus en plus attractives pour les gens de la campagne. La bourgeoisie y est au sommet de son triomphe ; **le nombre d'employés et de petits fonctionnaires progresse**, ils se distinguent des ouvriers par leur mode de vie différent.

• La IIIe République, avec l'action de Jules Ferry, veut promouvoir l'homme par l'instruction : **l'école est rendue gratuite, laïque et obligatoire** et a pour mission de former des républicains.

• La science fait une percée prodigieuse dans de très nombreux domaines et les inventions nouvelles trouvent une application dans la vie quotidienne : le téléphone (1876), le phonographe (1878), la lampe à incandescence (1879), la T.S.F. (1890-1900), le cinématographe (1895). Dans ses romans, Jules Verne montre son optimisme et son enthousiasme pour ce monde nouveau en pleine évolution.

• La France est devenue une grande puissance industrielle : les expositions universelles en témoignent. Elle se lance, comme ses concurrents européens à la conquête de nouveaux territoires en Afrique et en Asie où elle prétend apporter la civilisation. Les nécessités stratégiques, les besoins en matières premières, l'exigence de nouveaux débouchés pour les produits fabriqués sont les principaux mobiles de la colonisation.

• À la fin du XIXe siècle, les artistes se libèrent des conventions liées à l'expression de la stricte représentation de la réalité pour laisser libre cours à leur sensibilité. Le développement de la science (nouvelles couleurs, tubes de peintures facilement transportables) modifient les conditions de la production de l'art. L'artiste délaisse de plus en plus l'atelier pour chercher directement un contact avec la nature, l'expression de la sensibilité et le jeu de la lumière sur les couleurs.

Un central téléphonique

Les lignes de tous les abonnés d'un secteur aboutissaient à un central téléphonique ainsi que les lignes qui assuraient la liaison avec les autres secteurs. Quand un abonné appelait, il avait en ligne l'opératrice du central à qui il communiquait le numéro demandé. L'opératrice appelait le central dont dépendait ce numéro et là, une autre opératrice mettait en contact la ligne de l'abonné appelant, avec celle de l'abonné appelé. Tout ce travail était effectué manuellement par des femmes (moins rémunérées que les hommes) à l'aide de fiches. Les hommes sont techniciens ou chefs de service.

Sur le document, on observe :

• l'installation du central : vaste salle – estrade surélevée avec les pupitres des opératrices. Le tableau de connexion divisé en sections numérotées.

• les opératrices (celles qui sont assises à leur pupitre, celle qui s'occupe des dépêches), les chefs de service, le technicien en blouse blanche, le jeune télégraphiste qui porte les dépêches.

• le matériel utilisé : le pupitre avec des fiches, le tableau vertical qui reçoit les fiches qui établissent la communication, des écouteurs, des porte-voix.

L'Exposition Universelle de 1889

De 1855 à 1900, les expositions universelles se succèdent marquant l'expansion industrielle et coloniale. Les édifices construits spécialement pour ces manifestations témoignent des récents progrès technologiques.

En 1889 : l'exposition marque le premier centenaire de la Révolution française. L'architecture métallique triomphe avec la Tour Eiffel. Pour familiariser les Français avec les territoires conquis, des villages algériens, tunisiens, sénagalais et indochinois sont reconstitués.

Sur le document qui représente bien l'Exposition de 1889 on aperçoit de gauche à droite : la galerie des machines qui ressemblait à un grand vaisseau de fer et de verre, le palais des expositions diverses, le palais des Beaux-Arts, le palais des Arts libéraux face à face, et enfin la Tour Eiffel entourée des pavillons des divers pays.

Repères chronologiques

La frise chronologique est courte : 1876-1914, mais elle suppose que l'on prenne en compte plusieurs faits simultanés. Outre les concordances déjà soulignées au chapitre précédent (l'industrialisation s'accompagne d'importantes réalisations techniques et de conquêtes sociales) on verra ici que le développement industriel se fait en relation avec la conquête d'un empire colonial et l'organisation du pays.

L'expansion de l'industrie

PAGES 150-151

Pour mémoire

• Depuis 1840, la France s'est progressivement industrialisée. Au début du XXe siècle, la France fait figure de grande puissance active et prospère.

Malgré le développement de nouvelles sources d'énergie (pétrole, gaz, énergie hydroélectrique) le charbon couvre encore 95 % des besoins en éneregie des grandes puissances industrielles.

• Dans le cadre des syndicats, des ouvriers conscients du progrès technique et des nouvelles transformations industrielles organisent la revendication ouvrière face au patronat en faisant appel de plus en plus fréquemment à la grève.

• Les améliorations obtenues restent limitées : la journée de travail est en général de douze heures, elle est réduite à onze heures pour les femmes en 1900 et à huit heures pour les mineurs de fond en 1905. Le repos hebdomadaire est accordé en 1906. Il n'y a pas de congés payés.

• Les conditions de travail demeurent malsaines et dangereuses : locaux poussiéreux, humides, mal aérés. Les accidents sont fréquents. Pénible, souvent dangereux, le travail de l'ouvrier est mal rémunéré. Son sort demeure précaire car il n'a le plus souvent aucune protection contre les accidents, les maladies et la vieillesse.

Étude des documents

Le pays noir

À droite on peut voir comment s'organise la fosse :
• le bâtiment de gauche est celui où l'on descend dans la mine. La vapeur blanche et la fumée qui sort de la cheminée montrent qu'on utilise la machine à vapeur pour pomper l'eau, remonter les bennes de charbon.
• le bâtiment de droite est sans doute celui du criblage : le charbon doit être lavé, nettoyé puis il s'écoule directement dans les wagons que l'on voit en bas à droite. Les poussières de charbon sont amenées aussi à l'extérieur par des petits wagonnets que l'on aperçoit sur le pont ; elles vont être déposées à l'extérieur et donner à ce paysage cette impression de tristesse et de dénuement.

La grève des mineurs

Les grèves sont en général très longues. Elles se traduisent pour les familles ouvrières par de dures privations. C'est une véritable guerre, classe contre classe (patrons contre ouvriers) et parfois elle donne lieu à de violents affrontements. Le gouvernement peut même envoyer la gendarmerie ou la troupe. À Fourmies, dans le Nord, le 1er Mai 1891, l'armée tire sur des manifestants pourtant réunis pacifiquement : neuf tués et une soixantaine de blessés. Parmi eux, des femmes et des enfants.

Les grèves sont particulièrement suivies dans les mines, où est le travail est inhumain. Les mineurs réclament un salaire plus élevé, la réduction de la journée de travail (le mineur reste neuf heures ou neuf heures et demie au fond), une amélioration de la sécurité (les accidents sont fréquents : coup de grisou, inondations, éboulements…).

L'empire colonial

Pour mémoire

• De 1850 à 1914, les Européens explorent l'Afrique et l'Asie où ils conquièrent et exploitent de vastes territoires. Ces colonies deviennent l'enjeu de rivalités entre les puissances européennes.

• Les puissances industrielles trouvent dans leurs colonies des réserves en matières premières, des débouchés pour leurs produits et leurs capitaux ainsi que de grands espaces pour une population européenne trop nombreuse. Cette colonisation s'effectue le plus souvent au détriment de l'économie artisanale et agricole indigène.

• Les colonisateurs qui sont des militaires mais aussi des géographes, des missionnaires, sont convaincus de réaliser une œuvre bénéfique : ils vont, selon eux, « porter la civilisation et la religion », chez des peuples qui sont considérés comme inférieurs.

• La France se lance tardivement dans la colonisation : l'Algérie est conquise en 1830 ; sous le Second Empire et la IIIe République un immense territoire allant du Sénégal au Congo est conquis qui deviendra A.O.F. et A.E.F. La France annexe Madagascar, la Nouvelle-Calédonie et impose son protectorat sur la Tunisie, l'Indochine puis le Maroc.

• Les sociétés colonisées sont profondément bouleversées :
– Le système de propriété du sol, souvent communautaire et collectif chez ces populations est partiellement détruit : les colons constituent des plantations le plus souvent par l'inter-

médiaire de grandes sociétés. Ces plantations sont destinées massivement à une monoproduction (coton, caoutchouc, arachide, café,…) ces nouvelles structures déséquilibrent, voire anéantissent les modes de production traditionnels, fondés su la polyculture de subsistance. Le produit des plantations est destiné à l'exportation vers la métropole. En échange des produits fabriqués sont acheminés vers les colonies : c'est l'économie de traite.

– Les colons instaurent le travail forcé : en effet les populations locales furent tenues de travailler dans les plantations.

Les possessions françaises anglaises et allemandes
à la veille de 1914.

France	Angleterre	Allemagne
Algérie	Empire des Indes	Cameroun
Tunisie	Nouvelle-Zélande	Afrique orientale
Maroc	Canada	Sud-Ouest africain
A.O.F.	Australie	Togo
A.E.F.	Kenya	
Nouvelle-Calédonie	Ouganda	
Indochine	Soudan	
Madagascar	Nigéria	
Guyane	Union sud-africaine	

L'empire colonial le plus important est celui de l'Angleterre.

L'empire français est surtout africain. L'Allemagne et l'Italie, venues tardivement à la colonisation se « contentent » des territoires restants. Mais chacune de leurs prétentions met en cause la paix mondiale.

Les puissances coloniales se sont violemment opposées : l'Angleterre et la France, au Soudan, à Fachoda en 1898, l'Allemagne et la France au Maroc en 1905 et 1911. L'Angleterre a aussi veillé à ce que les Russes ne puissent contrôler les détroits (Bosphore et Dardanelles) détenus par les Turcs.

Étude des documents

Pèlerins allant en pèlerinage à la Mecque

Dès la fin du XVIIIe siècle, l'intérêt se porte sur l'Orient, nourri par les problèmes politiques comme la libération de la Grèce au début du XIXe siècle et les voyages des artistes et des écrivains.

Avec le développement des liaisons maritimes, les peintres sont de plus en plus nombreux à se rendre en Orient ; ils soulignent l'exotisme du voyage mais relatent de façon souvent documentaire les choses vues. Au-delà du pittoresque ou de l'imaginaire, certains, comme Belly, savent donner une véritable grandeur aux faits et gestes décrits.

Marseille-Alger en 20 heures

Avec le développement des relations avec l'Afrique du Nord, Marseille se développe et devient une ville cosmopolite. Les affiches publicitaires insistent sur l'exotisme : couleurs fortes, costumes indigènes et incitent à un tourisme superficiel. Cependant les relations économiques sont très fortes.

Le tri du café en Nouvelle-Calédonie

Le document représente bien ce que fut la colonisation.

Les Noirs, à leur place au travail, les Blancs, à l'aise dans leurs droits surveillent le travail ou discutent sur la terrasse de leur maison.

Le café était transporté dans des brouettes puis mis à sécher avant d'être versé dans des sacs pour être transporté à la brûlerie.

La carte (p. 203)

Elle permet de réfléchir sur le partage du monde opéré par les puissances coloniales. L'influence européenne est forte sur le continent américain, mais il ne faut pas oublier que depuis la « doctrine de Monroe » l'Amérique (continent) est la chasse gardée des « Américains » (États-uniens). On relèvera le rôle stratégique du canal de Panama et celui de Suez, déjà étudié.

Pour faire le tour du monde

PAGES 154-155

Pour mémoire

• Après des siècles de lenteur et de pesanteurs technologiques, les innovations en matière de transport s'accélèrent depuis l'utilisation de la vapeur.

• Le perfectionnement des machines à vapeur, le remplacement de la roue à aubes par l'hélice, la construction de coques métalliques transforment les conditions de la navigation. Après 1850, on s'engage dans la construction de transatlantiques de plus en plus grands. La durée du trajet New York-Le Havre passe de 800 heures en 1820 à 100 heures en 1910.

• Des lignes régulières de navigation sont ouvertes à travers l'océan. Les bateaux commencent à se spécialiser dans le transport de tel ou tel produit : pétroliers, bateaux frigorifiques pour le transport de la viande...

Les nouveaux types de bateaux ne peuvent être affrétés que par de grandes compagnies maritimes, qui seules sont capables de subvenir à leur achat et à leur entretien. La marine à vapeur modifie également les techniques portuaires. les ports sont désormais moins nombreux mais plus grands, plus profonds, avec des installations de dragage considérables et d'immenses entrepôts. En France, s'affirment surtout Marseille et Le Havre.

• L'essor du chemin de fer et de la marine à vapeur a considérablement accéléré et amplifié la circulation des personnes et des marchandises. Si les chemins de fer ont favorisé une certaine spécialisation des pays sur le plan international, les chemins de fer ont facilité l'équipement, la mise en valeur et le peuplement d'immenses zones continentales en Amérique, en Australie, en Russie, etc. La navigation à vapeur a rapproché les continents et a permis d'essaimer sa population (de 1800 à 1920, 60 millions d'Européens gagnèrent les autres continents, 37 millions s'installèrent en Amérique du Nord).

• L'apparition de la voiture sans chevaux modifie peu à peu les conditions de vie. Elle change les mentalités, élargit l'espace et les possibilités de le franchir.

• L'aéroplane apparaît à la fin du XIXe siècle. Contrairement aux engins précédents (ballons) il est plus lourd que l'air. Les premiers essais ont lieu en 1890. Les progrès sont ensuite très rapides puisque moins de vingt ans après, Blériot traverse la Manche.

Le Provence

C'est une véritable ville flottante qui peut transporter 1 500 passagers répartis en trois classes. Les passagers de première classe ont un appartement complet avec salon, chambre à coucher, cabinet de toilette, tandis que les passagers de troisième classe bénéficient de couchettes et d'un confort sommaire. On trouve dans ce bateau, un café, un grand salon avec orchestre, un gymnase, des bains d'eau douce etc.

Le transport rapide des denrées périssables

L'affiche présente le phénomène qui va bouleverser les habitudes d'échange fondées sur une production exclusivement locale ou presque. Il s'agit de la révolution des transports. L'affiche, suffisamment lisible, insiste sur la rapidité des communications et les dessins représentent les fleurs et les fruits les plus exotiques à cette époque-là. Parmi les fruits et les légumes : la tomate, la banane, le raisin, le melon, les cerises, les asperges, c'est-à-dire tout ce qui vient de très loin ou qui est fragile.

Les nouveaux moyens de communication

Alors que le bateau et le chemin de fer sillonnent le monde et raccourcissent les distances en temps et multiplient les relations, d'autres moyens sont inventés, mis au point et connaissent un développement rapide, qui sera accéléré par l'usage qu'on en fera pendant la Première Guerre mondiale.

E*n ville*

Pour mémoire

• L'industrialisation a provoqué un afflux de population vers les villes diversifiant la société urbaine et bouleversant les conditions de vie à l'intérieur de la ville.

• La société urbaine de la fin du XIXᵉ siècle est marquée par le face à face prolétariat-bourgeoisie capitaliste mais aussi par la montée de couches sociales moyennes.

– Cette classe moyenne regroupe les cadres et ingénieurs indispensables au fonctionnement des entreprises, les employés du grand commerce et des banques et surtout les employés de l'État dont le poids dans la société va croissant. Étant salariés, ils ne peuvent pas être assimilés à la bourgeoisie ; ils ne peuvent pas non plus être considérés comme appartenant au prolétariat dont ils se distinguent par bien des aspects : formation intellectuelle, travail non manuel, salaires plus élevés, genre de vie et mentalités différents.

– La bourgeoisie vit en société restreinte et fermée : banquiers, industriels, riches propriétaires, rentiers, médecins et avocats célèbres, hommes politiques, magistrats et hauts fonctionnaires vivent dans les beaux quartiers de la ville. La fortune allant de pair avec une manière de vivre : ils ont le sens des convenances, donnent une bonne éducation à leurs enfants et sont entourés d'une nombreuse domesticité.

– Les ouvriers sont logés dans des immeubles souvent insalubres et regroupés à la périphérie des villes. Ainsi une opposition géographique entre classes sociales s'ajoute à l'opposition des revenus et des intérêts. À Paris, les distractions rapprochent les ouvriers des employés : cafés, concerts, théâtres et bals populaires, premiers cinémas.

• À Paris, les modifications et les améliorations entreprises sous le Second Empire se poursuivent :
– le préfet de police, Poubelle, oblige les Parisiens à déposer leurs ordures dans des boîtes, les « poubelles » ;
– en 1900, la première ligne de métro est ouverte entre Vincennes et Maillot ;
– dans les rues, l'éclairage électrique remplace l'éclairage au gaz.

• Le progrès pénètre dans les immeubles des beaux quartiers : eau courante, chauffage central, gaz, électricité, téléphone. Les immeubles modernes disposent d'ascenseurs.

Étude des documents

Le salon de thé

Le salon de thé est au XIXᵉ siècle un lieu de sociabilité bourgeoisie.

Les dames de la bourgeoisie s'y retrouvent entre elles pour déguster des petits gâteaux et discuter des réceptions qu'elles organisent. On remarquera que ces dames ne sortent qu'en robe longue, avec chapeau et gants ; le bourgeois que l'on aperçoit à gauche porte la jaquette, le col dur et le gibus.

La rue, 1889

Cet autre tableau de Béraud s'appelle en fait *Le Boulevard Montmartre devant le Théâtre des Variétés*.

Béraud s'est spécialisé dans les descriptions précises du paysage urbain parisien. Il en relève les gestes et les acteurs. Chaque personnage révèle son activité et son rang.

Le rôle du gaz

Vers 1800, le gaz qui se dégage lors de la fabrication du coke est utilisé pour l'éclairage. L'utilisation devenant de plus en plus intensive, des usines s'installent dans les villes pour produire du gaz à partir de la distillation du charbon.

Ce calendrier qui était distribué aux abonnés montre tous les usages que l'on peut faire du gaz : en haut et en bas, deux évocations du gaz « utile », au centre trois illustrations du gaz « agréable ». On insiste surtout sur la suggestion de confort apporté par le gaz. La publicité s'adresse à un public féminin de milieu aisé : les femmes bourgeoises dans des habitations modernes.

La légende de chaque vignette précise les merveilles qui y sont représentées :

• dans la cuisine, domaine de la domesticité : la cuisinière s'affaire devant le fourneau à deux feux et la rôtissoire qui reposent sur la traditionnelle cuisinière à charbon. Un brûle-café complète l'équipement.

• dans la salle de bain et le cabinet de toilette, on trouve les appareils nouveaux les plus modernes : le chauffe-eau et le chauffe-linge.

• dans la salle à manger : sur la table, on remarque une note d'exotisme avec le samovar ; la cheminée à gaz réchauffe la pièce.

• dans l'atelier : le gaz alimente tout un appareillage industriel dont il est difficile de déterminer l'usage.

Sur toutes les vignettes, l'éclairage est au gaz ; c'était d'ailleurs sa fonction première, ce n'est qu'ensuite qu'il a été utilisé pour le chauffage.

À la fin du XIXe siècle, seule une petite minorité de la société disposait d'autant d'éléments de confort.

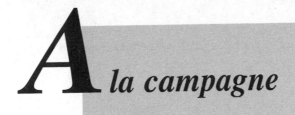

A la campagne

PAGES 158-159

Pour mémoire

• À la fin du XIXᵉ siècle, l'agriculture occupe encore plus de la moitié de la population active. Elle se modernise lentement mais la société rurale se transforme profondément.

• La modernisation est lente : l'usage des machines agricoles et des nouveaux engrais ne se généralise que dans les grandes exploitations du Nord et du Bassin parisien. La petite taille de la plupart des exploitations et la répugnance à investir freinent la mécanisation. Néanmoins, grâce aux lois scolaires, l'instruction pénètre dans les campagnes. Certains paysans se regroupent en coopératives pour moderniser leurs exploitations et améliorer les rendements. Ces groupements professionnels sont cependant dominés par les grands propriétaires.

• Des régions se spécialisent grâce aux transports ferroviaires qui permettent la livraison rapide des denrées : primeurs en Bretagne, élevage laitier en Normandie, fleurs sur la Côte d'Azur.

• La production de blé s'accroît, celle de la betterave à sucre progresse, notamment dans le Bassin parisien où cette alternance de cultures spécialisées requiert l'emploi de saisonniers.

• La population des campagnes décline lentement du fait de l'exode rural. Elle passe de 75,6 % en 1846 par rapport à la population totale à 68 % en 1872 et 56 % en 1911. Ce sont d'abord les ouvriers agricoles et les paysans les plus pauvres qui ont été attirés par l'industrie. À la fin du siècle, les jeunes garçons à qui le service militaire a montré d'autres horizons que la campagne n'y reviennent pas et les emplois dans le commerce ou l'administration attirent les jeunes filles.

Étude des documents

La Paye des moissonneurs

Depuis peu, pour accélérer le processus de la moisson, la faux autrefois utilisée pour la fenaison est adaptée à la récolte du blé.

La scène se passe dans la cour d'une ferme. Le contremaître distribue leur paye aux faucheurs qui avaient été embauchés pour la moisson.

Le moissonneur assis sur le banc de pierre paraît fatigué. Les muscles de ses bras prouvent qu'il faut de la puissance pour pouvoir faucher et malgré sa fatigue, son attitude reste noble.

L'auteur de ce tableau, Léon Lhermitte a fait de la vie paysanne le sujet essentiel de son œuvre. Il décrit avec beaucoup d'humanité les scènes qui lui étaient familières, tout près de chez lui, dans la région de Château-Thierry.

La batteuse mécanique

Quand les gerbes sont rentrées, il faut, à l'automne, les battre. Jusqu'alors, l'opération s'effectuait au fléau. À la fin du XIXᵉ siècle, on voit apparaître dans les campagnes la batteuse mécanique actionnée par une machine à vapeur, la locomobile. Cette machine fournit l'énergie nécessaire permettant d'actionner les différentes parties de la batteuse.

Les gerbes qu'il faut délier sont placées dans la partie supérieure de la machine et entraînées à l'intérieur par un tapis roulant. Le grain est séparé de la paille que l'on voit tomber à l'arrière de la machine.

Le grain est récupéré à l'avant de la machine dans des sacs.

Ce travail s'effectuait de ferme en ferme et tous les paysans d'un village se regroupaient pour participer au battage qui devait être fait rapidement pour stocker le grain dans de bonnes conditions.

Les risques d'accident étaient nombreux : incendies (on plaçait la locomobile le plus loin possible du tas de paille) – accidents causés par la longue courroie – chutes de la meule de paille, de la batteuse, bras et jambes happés par la batteuse en même temps que les gerbes.

L'école de la IIIᵉ République

PAGES 160-161

Pour mémoire

• Aux élections de 1876 et 1877, les Républicains soutenus par la bourgeoisie d'affaires et les classes moyennes obtiennent la majorité. Ils font adopter une série de lois sur les libertés de réunion et de la presse, sur la liberté syndicale et sur l'enseignement primaire. C'est ce que l'on appelle « les lois fondamentales ».

• La Révolution française avait défini les grands principes scolaires : affirmation des droits de l'État, gratuité, obligation, égalité des enfants devant l'école ; conception d'un service public indépendant de l'Église et facteur d'unité nationale. Les révolutionnaires ne purent mettre ces principes en pratique mais plusieurs lois prises dans la première moitié du XIXᵉ siècle permettent la mise en place progressive de l'institution scolaire :

– 1833 : la loi Guizot oblige chaque commune à entretenir une école primaire dont les maîtres sont surveillés par les notables locaux, et chaque département à fonder et entretenir une école normale d'instituteurs.

– 1835 : les inspecteurs spéciaux de l'enseignement primaire sont créés, ce sont les futurs inspecteurs d'académie, en 1837 ; ils sont aidés par des sous-inspecteurs chargés de l'enseignement primaire qui prendront le nom d'inspecteurs primaires.

• Avec l'ouverture des campagnes, la mentalité vis-à-vis de l'instruction évolue : l'instruction est ressentie comme nécessaire et comme moyen de promotion sociale. La défaite de 1870 renforce cet état d'esprit : c'est l'insuffisante instruction du peuple qui a causé la défaite.

• La IIIe République qui organise l'école bénéficie donc de l'évolution de l'opinion face à l'instruction depuis la Révolution française et des mesures législatives prises depuis le début du XIXe siècle.

• En rendant l'école gratuite, laïque et obligatoire, Jules Ferry veut achever l'unité nationale et forger des citoyens républicains : l'école est considérée comme *le pilier d'airain de la République.*

Il s'agit en effet :

– de permettre à tous d'accéder à l'instruction primaire afin de lutter contre l'ignorance et la superstition qui engendrent des comportements favorables aux monarchistes et aux cléricaux.

– d'assurer la promotion par l'instruction et le mérite, ce qui justifie la promotion sociale.

– de substituer à la religion une morale laïque fondée sur l'ordre, le respect de la propriété et l'amour de la patrie.

• La IIIe République a favorisé la recherche scientifique et médicale ; grâce aux travaux de Pasteur, la population prend conscience de l'importance de la vaccination. L'hygiène défendue par Pasteur devient une valeur morale au même titre que l'amour de l'ordre et le respect de la propriété. Elle sera, avec la morale laïque largement diffusée par l'institution scolaire.

Étude des documents

L'instruction, c'est la lumière

L'instruction doit éclairer le peuple, elle est au centre du document. À ses pieds, sont représentés le but de l'école (lire, écrire) et les différentes matières enseignées.

L'instruction lutte contre l'ignorance, les superstitions qui asservissent le peuple. La République chasse ceux qui sont susceptibles d'entraver son action : le noble, le notable, le capitaliste et l'anarchiste. Elle est l'idéal d'une classe moyenne éloignée de tous les excès, de « droite » comme de « gauche ».

L'enfant propre

Les instituteurs, dans leur classe, utilisaient des tableaux d'enseignement, tel que celui présenté ici. Il s'agit bien sûr de montrer qu'une bonne hygiène est indispensable à la santé.

*L*a naissance des loisirs

PAGES 162-163

Pour mémoire

• À la fin du XIXᵉ siècle, pour satisfaire un public de plus en plus nombreux, des spectacles et des lieux de distraction nouveaux sont apparus.

• **Les cafés-concerts** connaissent un grand succès car on s'y rend comme dans un café pour consommer mais aussi pour assister à un spectacle comprenant une partie musicale, une partie théâtrale et une partie sportive (jongleurs, gymnastes...).

• **Le music-hall** présente des ballets, des exhibitions sportives et d'adresse, mais aussi les mimes qui inspireront plus tard Charlot.

• **Les bals** nés à la fin du Moyen Âge se multiplient ; on y lance des danses à la mode comme le « can-can ou le « quadrille ».

• **Le cinéma** qui sera jusqu'en 1914, une distraction uniquement populaire. Les frères Lumière, après avoir perfectionné le kinétoscope d'Edison, diffusent en 1896 *L'Arroseur arrosé* puis de courts films d'environ une minute. Les grandes villes se désintéressent de ces spectacles qui sont alors proposés dans les campagnes par les forains.

• De 1897 à 1902, Méliès réalise des films d'une quinzaine de minutes avec un scénario et une mise en scène. Ses œuvres restent du théâtre filmé. La société Pathé produit ensuite des films plus longs, transforme des théâtres en salles de projection puis produit des films tirés des grandes œuvres romanesques du siècle. C'est le début du succès pour le cinéma.

• Les théâtres sont toujours fréquentés même par les milieux populaires où les places au poulailler sont accessibles à tous. Les cirques sont appréciés.

Étude des documents

Le Moulin de la Galette

La scène se passe à Montmartre sur une place publique bordée d'arbres. La place est éclairée au gaz. Elle est entourée de cafés avec terrasses et de bancs sur lesquels se reposent les danseurs. Au fond, on aperçoit l'estrade avec l'orchestre. À la fin du XIXe siècle, les bals sont des divertissements très fréquentés par les milieux populaires. Le tableau peint sur place par Renoir en témoigne : hommes et femmes sont venus pour se divertir, oublier leurs soucis. Ils dansent, écoutent la musique ou bavardent en consommant des boissons. Tous sont habillés avec élégance. Les hommes portent costumes, faux-cols et cravates, chapeaux hauts-de-forme ou canotiers ; les femmes ont des robes longues, certaines d'entre elles ont des bijoux. Le peintre a donné à cette scène une impression de vie et de mouvement en animant ses personnages dans des poses variées, en jouant sur le flou et en faisant papillonner la lumière sur le sol et sur les personnages qui soulignent la composition.

Le Voyage dans la Lune

Dans ce film, Méliès multiplie les trucages. Le film fut projeté pour la première fois, à la foire du Trône, par un forain à qui Méliès avait prêté le film. Le public, qui n'avait jamais vu de trucages fut enthousiasmé.

Le coin du savant (p. 164)
La galerie des ancêtres (p. 165)

Ces pages sont à lire en classe et à la maison.

Jules Verne reste un auteur inépuisable. Très optimiste à ses débuts, et en particulier très confiant vis-à-vis des États-Unis en qui il voit un modèle de démocratie, Jules Verne évolue progressivement vers le scepticisme et la crainte. Vers la fin de sa vie, il écrit des romans sombres où la science est détournée de son but pour faire le mal.

Anatole France, dans un autre domaine adopte aussi un point de vue amer et désabusé ; quant à **Jaurès**, son optimisme forcené ne l'a pas empêché d'être assassiné à la veille de la guerre de 1914. On notera que son assassin, jugé après la guerre, fut relaxé avec un non-lieu et sa veuve fut obligée de payer les dépenses !

Chapitre 13

Les années difficiles

*L*es années difficiles

PAGES 166-167

Les années, qui couvrent la première moitié du XXe siècle, commencent à acquérir une certaine autonomie. Avec le recul, on valorise l'importance des changements survenus.

Pour mémoire

• C'est une période de crises et de conflits :

– Les guerres de 1914-1918 et 1939-1945 ; leur extension géographique explique qu'elles soient aussi appelées Première et Seconde Guerre mondiales.

– Elles ont provoqué des destructions matérielles et humaines importantes en France et dans toute l'Europe. Désormais, l'Europe n'est plus la première région dominant le reste du monde.

– En 1929, la crise économique, née aux Etats-Unis, se propage dans tous les pays d'Europe. La France est moins touchée que l'Allemagne. Celle-ci, déboussolée devant le chômage croissant, donne les pleins pouvoirs à Hitler.

• C'est une période pendant laquelle se généralisent les inventions de la fin du XIXe siècle et où se réalisent d'importants progrès :

– L'amélioration du confort individuel grâce à l'installation d'équipements collectifs : l'électrification et le réseau d'eau courante, en particulier dans les campagnes.

– Les réformes sociales décisives : la journée de 8 heures et la semaine de 40 heures, les congés payés et la liberté syndicale.

– L'adoption du taylorisme dans le monde du travail : les produits fabriqués en plus grande quantité, coûtent moins chers. Un plus grand nombre de ménages peut consommer.

Etude des documents

Les nouvelles usines Citroën

Le dessin est structuré par quatre lignes fuyantes ; elles séparent quatre scènes qui correspondent aux étapes de la construction de la voiture : à gauche, la fabrication de l'acier (coulage, façonnement au marteau-pilon), le montage des châssis ; à droite, de grosses machines moulent des pièces détachées ; en haut, au centre, les usines Citroën installées sur le quai de javel au bord de la Seine à Paris. Pendant la première moitié du XXe siècle, l'essentiel de la construction automobile se trouve autour de Paris. Il ne reste plus rien aujourd'hui.

La maison sans domestiques

Les informations données par le document montrent que :

• l'utilisation de l'électricité se généralise dans toutes les pièces de la maison. C'est surtout dans la cuisine que son importance est manifeste.

• on tend vers un appareillage spécifique compte tenu de la tâche à accomplir.

Cependant, la maison toute électrique est encore un rêve à réaliser. On pourra compléter le tableau de la page 210 par une comparaison avec l'électricité dans la maison aujourd'hui.

	Sous-sol	Rez-de-chaussée	1er étage	Utilisation	avec quel type d'appareil
Salle de chauffage		x	x	pour se chauffer	radiateur
Salle des machines	x			pour produire de l'énergie	générateur
Cuisine		x		pour s'éclairer	ampoules
				pour ventiler	ventilateur
				pour cuire	four -
					plaque chauffante
				pour communiquer	téléphone
				pour laver	machine à laver
Séjour		x		pour s'éclairer	ampoules
				pour se chauffer	radiateur
				pour ventiler	ventilateur
				pour s'informer et se distraire	poste T.S.F.
				pour communiquer	téléphone
Salle à manger			x	pour s'éclairer	ampoules
				pour se chauffer	radiateur
				pour ventiler	ventilateur
				pour communiquer	téléphone
				pour monter les aliments	monte-charge
Chambre			x	pour s'éclairer	ampoules
				pour se chauffer	radiateur
				pour ventiler	ventilateur
				pour communiquer	téléphone
				pour faire le ménage	aspirateur
Salle de bain			x	pour s'éclairer	ampoules
				pour ventiler	ventilateur
				pour se raser	rasoir électrique
				pour se sécher les cheveux	sèche-cheveux

Repères chronologiques

Période très courte, marquée par des **événements** tragiques : les guerres, la crise de 1929 mais aussi scandée par des **dates** décisives sur le plan social (1936) ou culturel.

La Première Guerre mondiale

Pour mémoire

• La guerre de 1914 a des causes multiples.

– le développement du sentiment nationaliste et revanchard en rappelant l'annexion de l'Alsace-Lorraine.

– les causes économiques : la rivalité entre les puissances européennes s'expliquent par la volonté d'avoir un empire colonial le plus vaste possible pour alimenter l'industrialisation de la métropole.

• Les alliances qui unissent les pays belligérants se sont constituées dès la fin du XIXᵉ siècle : pays alliés de la France contre pays alliés de l'Allemagne.

• Les opérations militaires se déroulent en trois temps :

– la guerre de mouvement (août-décembre 1914) avec l'épisode de la bataille de la Marne qui stoppe l'offensive allemande.

– la guerre de tranchée (décembre 1914 - mars 1918). la bataille de Verdun atteste de la volonté acharnée à user l'ennemi.

– la guerre de mouvement (mars 1918 - novembre 1918) reprend grâce à l'entrée en guerre des Etats-Unis qui livrent massivement du matériel aux alliés.

• L'après-guerre est douloureux :

– le bilan humain et matériel est lourd car le Nord de la France a été un des principaux champs de bataille. Pour assurer la reconstruction, le pays se transforme en un gigantesque chantier qui attire une main-d'œuvre étrangère importante. Cette politique d'immigration est soutenue par le gouvernement car elle comble le déficit des naissances.

Étude des documents

À l'assaut des tranchées

Ce document permet de comprendre ce qu'est une guerre de position.

Le cadre de la tranchée, une voie creusée à deux mètres de profondeur dans laquelle les soldats circulent sans être vus. Les parois ne sont pas aménagées, on a placé par terre des rondins de bois pour ne pas trop s'embourber.

L'équipement du soldat : il se sert du fusil lors des combats de loin, la baïonnette est utilisée dans les combats corps à corps. Pour se protéger des projections d'éclats de terre, le soldat porte un casque. Le masque à gaz le protège contre les gaz asphyxiants lancés pour déloger les fantassins des tranchées.

Sur cette photographie, les soldats vont donner l'assaut. Ils vont sortir de la tranchée sous le feu ennemi et courir au travers des fils barbelés et des mines pour chasser et combattre à la baïonnette les soldats allemands.

Ce type de guerre contraint les armées à rester face à face dans les tranchées et tenter des sorties très meurtrières. les conditions de vie des soldats dans les tranchées sont effroyables : le froid, la boue, l'absence d'hygiène, la promiscuité.

Les femmes travaillent dans les usines d'armement

La guerre de 1914-1918 a été non seulement une guerre de matériel, mais de chair humaine. L'offensive de Nivelles sur le chemin des Dames, en 1916 se solde par 200 000 morts ; Verdun est un véritable charnier.

Des classes d'âge sont vidées de leur population masculine. Du coup, la main-d'œuvre manque dans les entreprises et dans les champs. Les femmes s'embauchent massivement dans des travaux où les hommes, avant-guerre, étaient majoritaires, comme ici, dans une usine d'armement.

Les quatre faces du Monument aux Morts de la Ferté-Macé

La saignée démographique a été telle que de vastes cimetières sont constitués dans le quart nord-est de la France, le champ de bataille de la guerre. Mais chaque ville, chaque village de France a contribué à l'effort humain. D'où la décision de dresser, dans chaque commune, un monument aux morts où seraient portés les noms des malheureuses victimes. Quelquefois simples, quelquefois aux proportions vastes, les monuments constituent la dernière commande d'ampleur de l'Etat et des collectivités dans le domaine de la sculpture. Tout un répertoire idéologique est inscrit sur ces monuments aux morts. les différentes scènes de celui de la Ferté-Macé exhaltent le courage du soldat, mais aussi l'horreur de la guerre, l'attente désespérée des femmes, l'inutilité des combats : le soldat qui revient chez lui n'est qu'un homme brisé, pour toujours.

Le choc psychologique et humain de la guerre de 1914-1918 explique en partie le peu d'enthousiasme des français à l'aube du conflit de 1939-1945.

Les conquêtes sociales

PAGES 170-171

Pour mémoire

• L'après-guerre est douloureux : le monde du travail est secoué par des grèves, des manifestations. Sous la pression des syndicats, le patronat doit accepter la réduction de la durée de la journée de travail à huit heures

• Cette période de 1919 à 1931 a été aussi appelée *les années folles*. Mais toutes les catégories sociales n'ont pu également partager l'insouciance d'une minorité. Elle s'achève lorsque la crise économique internationale venue des Etats-Unis touche l'économie en France.

• C'est dans un contexte de crise internationale que les français choisissent pour la première fois en 1936, un gouvernement de gauche : le Front Populaire. Celui-ci adopte des réformes, révolutionnaires pour l'époque, lors des accords Matignon.

Étude des documents

Les 8 heures – 1919

Sur cette affiche, en bandeau, en haut, s'étale le nom des auteurs : l'Union des syndicats ouvriers de la Seine. Au centre et verticalement, la revendication des huit heures.

• Sur la partie basse du 8 figure une montre gousset, accessoire commun à cette époque. Le remontoir de cette monttre est remplacé par le cachet de la C.G.T., en rappelant ainsi que l'Union des syndicats ouvriers de la Seine appartient à la Confédération générale du Travail.

• Au fond de l'affiche, le paysage industriel où travaillent les ouvriers : usines, cheminées qui fument, grues de déchargement, échafaudages pour les ouvriers du bâtiment.

• Un axe de symétrie passant par le diamètre de la montre y détermine deux zones. La zone gauche réservée, comme il se doit, à l'action ouvrière ; la zone droite à l'action patronale. A gauche, on lit : *Ouvrier, employé, le principe en est voté, mais seule ton action... (et sur le cadran) appliquera les 8 heures*. En bas, à gauche, le groupe de travailleurs : ouvriers en casquette et tablier, employés en costume et chapeau, demoiselles de magasin en chaussures à talon, mais nu-tête, s'efforcent de ramener la grande aiguille de la montre vers le 12, c'est-à-dire à 8 heures juste. En bas et à droite, le groupe des patrons en redingote et chapeau haut-de-forme ou melon, patronne en manteau et chapeau, s'efforcent d'allonger le temps de travail en tirant sur la corde mais on remarquera que celle-ci est prête à casser en faveur des ouvriers. Si le principe est accordé en 1919, la semaine de travail comportera, elle, 48 heures jusqu'en 1936 où elle passera à 40 heures. Après la chute du Front populaire, la semaine de travail revient à 48 heures.

La première page du journal « Le peuple » du 10 juin 1936

Il s'agit de la première page de l'organe de presse de la C.G.T.

Deux photographies illustrent la grève sur le tas dans les entreprises. Cette nouvelle forme d'action ouvrière empêche les patrons de faire redémarrer la production en embauchant de nouveaux ouvriers qui remplaceraient les grévistes qui auraient été licenciés.

Entre les deux photographies, le début de l'article cite les différentes parties prenantes dans les négociations et la signature des Accords Matignon :

• le président du Conseil Léon Blum et le ministre de l'Intérieur qui représentent le gouvernement.

• les acteurs : la Confédération Générale du Travail (C.G.T.) et la Confédération générale de la production française, le C.N.P.F de l'époque. Ce sont les deux syndicats les plus puissants.

Les accords Matignon changent d'une façon radicale le paysage social et culturel des français. Outre la garantie de la liberté syndicale et la semaine de 40 heures, désormais toute la population ouvrière bénéficiera de deux semaines de congés payés. Déjà certaines catégories professionnelles, comme les enseignants, avaient des vacances, incluses dans leur traitement. Désormais, cette mesure est élargie aux ouvriers et à tous les employés. C'est le point de départ d'une civilisation des loisirs : camps de toiles, auberges de jeunesse, etc. Les catégories sociales favorisées connaissaient déjà les sports d'hiver, les croisières, les résidences en hôtels de luxe sur la Riviera.

Les transformations de la vie quotidienne

PAGES 172-173

Pour mémoire

• La période des années vingt est d'une importance capitale dans la transformation des villes. Si les mesures les plus audacieuses et les plus spectaculaires ont été prises au XIXe siècle, c'est entre les deux guerres que se réalisent les œuvres les plus décisives : immeubles à loyer modéré, cité-jardins, etc.

Les immeubles haussmanniens des quartiers chics ne suffisent pas à résorber la croissance urbaine et sont de toute façon inaccessibles aux gens humbles. Des îlots comprenant des ensembles d'immeubles sont construits à l'initiative non plus privée, mais des municipalités. Les architectes sont conviés à participer à des concours où sont choisis les projets les mieux adaptés. Ces derniers sont conçus selon une répartition sociale qui n'exclut pas les préoccupations d'hygiène et d'amélioration de la vie quotidienne par le confort et la rationalité de l'espace.

• Cette période voit également l'irruption de la voiture dans la vie quotidienne au point qu'un code de la route doit réglementer la circulation.

• L'électricité supplante le pétrole et le gaz. le nouvel éclairage s'impose très vite en ville. A la campagne, l'électrification est lente et coûteuse. L'éclairage au pétrole avait encore de beaux jours devant lui.

Étude des documents

L'avenue de l'Opéra

Au premier plan : la place bordée de grands immeubles avec leurs enseignes, beaucoup de piétons sur la place, sur les trottoirs, sur la chaussée. A droite, des autobus, d'où descendent des usagers ; d'importantes files d'attente. Plus à droite, un grand nombre d'automobiles est immobilisé aux abords du carrefour. Sur le trottoir une terrasse de café : on distingue le tablier blanc des garçons. Au centre, trois automobiles traversent la place au milieu des passants. La place est éclairée le soir par deux réverbères. À gauche, la chaussée : les piétons circulent au milieu des voitures. Sur le trottoir, une foule compacte de passants.

Au second plan, un carrefour. Sur l'avenue bordée d'arbres, des voitures, un autobus circulent dans les deux sens. A gauche, des piétons traversent la chaussée.

A l'arrière-plan, un autre carrefour et une rue en enfilade, au centre du tableau. On remarquera le stationnement des autobus dont on aperçoit les toits blancs. Partout, la circulation est intense, tant sur la chaussée que sur les trottoirs.

Trois points d'observation retiennent l'attention
• Les voitures : certaines sont décapotables ; elles sont conduites par un chauffeur ; les passagers s'installent à l'arrière. Elles sont de taille imposante.
• Les autobus : tous semblables, carrosserie verte et toit blanc. On y monte par l'arrière.
• La foule de piétons : elle s'écoule sur les trottoirs, sur la place. Mais beaucoup de piétons traversent n'importe où, au milieu des voitures.

La cité-jardin de Tergnier (Aisne)

Les cités-jardins sont une création caractéristique de cette époque. Inspirées du modèle anglais, elles tentent d'allier les avantages de la ville et de la campagne sociale déjà aisée.

Les plus achevées sont les cités de cheminots. Elles sont construites près des plus grandes gares, où toute une infrastructure révélatrice d'un idéal de vie était offerte aux habitants, hygiène, exercice physique, travail manuel, instruction, multiplication des services (poste, économat facilitent la vie de tous les jours.

Le document nous présente un dessin du projet de la cité-jardin de Tergnier. Ce projet n'a été réalisé qu'en partie.

Chaque maison comporte deux logements symétriques. Au rez-de-chaussée, on trouve la salle à manger avec sa large baie, sur le côté la cuisine, la salle de bains et les W.C. ; au premier étage, les chambres.

L'observation du plan de cette cité-jardin montre qu'elle n'est pas simplement un lieu d'habitation, mais qu'elle offre un cadre de vie très complet comportant des espaces bien spécialisés.

La cité-jardin de Tergnier a été présentée, en son temps, comme une réalisation modèle. Elle a malheureusement été détruite lors de la Seconde Guerre mondiale.

*L*a Seconde Guerre mondiale

PAGES 174-175

Pour mémoire

• Sur le plan international, les puissances occidentales dont la France défendent la paix à n'importe quel prix. Elles laissent Hitler conquérir l'Europe, quand elles veulent réagir, il est trop tard.

• Rentrée dans la guerre, l'armée française est rapidement anéantie et le pays est mis au pas de l'ordre nazi. Il est démantelé : l'Alsace-Lorraine est réoccupée, le reste du territoire partagé en zone interdite (au nord), zone occupée, zone libre. Cette dernière sera occupée à son tour en novembre 1942. le pays est mis en coupe réglée : dans ses biens, d'où le manque de vivres et le rationnement ; dans ses forces vives, d'où la chasse aux opposants politiques d'une part et aux juifs d'autre part.

• Le 17 juin 1940, le maréchal Pétain devient chef de l'État. Après avoir supprimé la République en France, il accepte de collaborer avec Hitler. En Angleterre, le Général de Gaulle appelle à la Résistance, le 18 juin 1940.

• Les étapes décisives de la guerre se déroulent hors du territoire français. Le premier coup d'arrêt est marqué à Stalingrad où les Soviétiques remportent la victoire sur des monceaux de cadavres. Puis les Américains portent leurs efforts en Afrique du Nord. C'est le débarquement, ensuite, en Sicile en juillet 1943. Un an après, ils débarquent en Normandie dans un déploiement considérable de forces humaines et de matériel. Dans le Pacifique, les Américains combattent les Japonais. Ce sont les deux bombes atomiques américaines lancées sur les villes japonaises d'Hiroshima et de Nagasaki qui mettent fin à la guerre dans cette partie du monde.

• La Seconde Guerre mondiale est une guerre de matériel caractérisé par des armes de plus en plus destructrices, des stratégies qui visent à briser la résistance de l'ennemi. Contrairement à la Première Guerre mondiale, la guerre de 1939-1945 frappe surtout les civils : on compte 50 millions de morts dont 8 millions de juifs déportés dans les camps de concentration.

Étude des documents

La vitrine de l'épicier

La lecture du tableau placé dans la vitrine de l'épicier montre qu'en fait, il n'y a presque rien à acheter. Outre l'argent, il faut donner des tickets que l'on touche au début du mois. Quand les tickets sont épuisés, en principe on ne peut plus rien acheter si ce n'est en le payant très cher dans des circuits commerciaux parallèles illégaux que l'on appelle « le marché noir ». Le café, produit tropical, n'arrive plus en France occupée. Il est remplacé par de l'orge grillée.

L'affiche rouge

Le 22 juin 1940, le maréchal Pétain signe l'armistice : désormais, la ligne de démarcation sépare la zone nord occupée militairement par les Allemands et la zone sud libre ; il faut un laissez-passer pour franchir cette ligne.

Mais tous les Français n'acceptent pas de collaborer avec l'Allemagne, la résistance s'organise. Sur cette affiche, on voit 10 des 22 résistants fusillés le 21 février 1944. Ces hommes appartenaient au groupe F.T.P-M.O.I (Francs-Tireurs Partisans ; Main-d'Œuvre Immigrée), engagé dans la lutte contre l'occupant allemand et qui était à l'origine de déraillements, sabotages, attaques de locaux, exécutions de responsables allemands.

Aussitôt après l'exécution du groupe Manouchian, les Allemands font placarder dans tout Paris ces affiches rouges pour discréditer les Résistants. Cette affiche contribue à la propagande raciste : l'appartenance religieuse, la nationalité et le crime est inscrit sous chaque nom, aucun n'est Français !

*L*es artistes, témoins de leur temps

PAGES 176-177

Pour mémoire

Au XXe siècle, jusqu'aux années soixante, la littérature, les arts traditionnels et le cinéma prennent un développement particulier.

L'artiste, beaucoup plus que par le passé, prend sa part des événements et de l'histoire du monde. Il est « engagé » quel que soit le mouvement artistique auquel il adhère. A travers le cinéma, tout particulièrement, il veut traduire les sentiments de son époque, et mettre en scène la société contemporaine. Ainsi, les artistes sont-ils les témoins de leur temps pour les générations futures.

Étude des documents

Les Temps modernes – Le Dictateur

Voilà comment Charlie Chaplin définissait le personnage de Charlot : *Vous comprenez, disait-il, ce personnage a plusieurs facettes : c'est en même temps un vagabond, un gentleman, un poète, un rêveur, un type esseulé, toujours épris de romanesque et d'aventure. Il voudrait vous faire croire qu'il est un savant, un musicien, un duc, un joueur de polo. Mais il ne dédaigne pas ramasser des mégots ni chiper son sucre d'orge à un bébé. Et bien sûr, si l'occasion s'en présente, il flanquera volontiers un coup de pied dans le derrière d'une dame...*

Charlie Chaplin a synthétisé dans son personnage toutes les ressources des comiques du cinéma muet, héritiers du théâtre et du cirque pour une part, mais également inventeurs dans le cadre de ce nouveau mode d'expression. Personnage en permanence décalé ou à contre-temps, Charlot est le moyen d'une extraordinaire satire sociale. N'oublions pas que la liberté de langage de Chaplin lui valut d'être poursuivi par les maccarthystes, après la seconde Guerre mondiale. Il dut quitter les U.S.A. et s'installa définitivement en Suisse.

Guernica

Pour peindre ce tableau, Picasso a choisi comme seules couleurs, le blanc, symbole de la vie, de la pureté et le noir, symbole du deuil, de la mort et du mal. Les personnages sont dessinés naïvement comme le ferait un enfant : leurs corps sont désarticulés, ils expriment les déchirures des corps mutilés sous les bombes.

Tous les regards fixent, pleins d'effroi, le ciel où les avions allemands, symbolisés par la lampe électrique, apportent souffrance et mort. Toutes les bouches sont grandes ouvertes, hurlantes de douleur. C'est toute l'injustice du massacre total d'une population que Picasso cherche ici à dénoncer au monde entier. Le moyen qu'il utilise, c'est à dire la représentation allusive et schématique des cubistes convient parfaitement à sa démonstration. *Guernica*, tout comme le *3 mai* de Goya, sont des témoignages inégalés des horreurs de la guerre et des revendications vibrantes pour la paix.

La colombe de la paix

C'est une autre création de Picasso qui acquis une dimension mondiale. Picasso avait pris position contre le fascisme espagnol en particulier, et contre tous les fascismes en général. Installé en France, il mit, tout comme Chaplin, son art au service de ses convictions généreuses.

Le coin du savant (p. 178)
La galerie des ancêtres (p. 179)

Ces pages sont à lire en classe et à la maison.

Cette première moitié du XXᵉ siècle voit le démarrage de l'aviation commerciale et postale. Elle reste pour les passagers encore exceptionnelle. Par contre la radio atteint directement ou indirectement tous les foyers. Elle véhicule les informations et les gouvernements l'utilisent comme moyen de propagande. Lors de rassemblements publics, le micro associé aux haut-parleurs permet aux orateurs de faire usage de leur talent.

Jean Moulin et **Marie Curie** sont de belles figures, ils sont au Panthéon aujourd'hui.

Chapitre 14

Notre temps

*N*otre temps

PAGES 180-181

Une société nouvelle : la société de consommation se met en place : avec elle, des cadres nouveaux de sociétés, des pratiques culturelles nouvelles ainsi que des débats nouveaux.

Pour mémoire

Trois périodes sont à distinguer :

• **La période de reconstruction** (1945-1958) : sous la VIᵉ République, la France entreprend le redressement national en donnant la priorité à la reconstruction des régions dévastées, à la reconstitution des équipements publics et des ressources, à la nationalisation de secteurs-clefs et aux réformes sociales.

• **Les « Trente Glorieuses »** (1945-1973) : pendant cette période de croissance, le pays connaît une profonde transformation de ses structures socio-économiques. Les campagnes se dépeuplent au profit des villes qui concentrent désormais la plupart des activités industrielles et tertiaires. les banlieues se développent ; désormais le mode de vie urbain prédomine. Les ménages, sollicités par la publicité, doivent acheter tout ce dont ils ont besoin pour vivre et même au-delà, c'est la société de consommation et du gadget.

La vie internationale est dominée par le mouvement d'indépendance des anciennes colonies. La mise en cause du vaste empire français débute par la guerre d'Indochine et d'Algérie. C'est le général de Gaulle, sous la Vᵉ République, qui y met fin et organise la décolonisation pacifique de l'Afrique. Tous ces nouveaux Etats du Sud, politiquement indépendants restent dominés par les puissances industrielles qui achètent à bas prix leurs matières premières et attirent leur main-d'œuvre.

• **À partir de 1973** : la France doit faire face, comme les autres puissances industrialisées, à une crise internationale : les pays producteurs augmentent fortement le prix du pétrole brut qui est le fondement de l'économie mondiale.

Parallèlement s'opère une troisième Révolution Technologique fondée sur le nucléaire, la conquête spatiale, les moyens de télécommunication, l'informatique et la miniaturisation.

Désormais, la terre est un petit village. De plus en plus de voix s'élèvent pour dénoncer le mal-développement planétaire. Le sous-développement, la pollution et le gaspillage des ressources naturelles sont les trois défis que devront relever les générations à venir.

Étude des documents

La bataille du charbon, affiche vers 1950

En 1946, La IVᵉ République nationalise les Charbonnages de France. La production charbonnière est prioritaire : on prévoit une production de 69 millions de tonnes pour 1952. Cette politique nécessite le recrutement de nombreux mineurs souvent immigrés. Le métier, bien que très dur, bénéficie d'une certaine image car le charbon est la première source d'énergie jusqu'en 1958. Sur cette affiche des années 50, la fumée ne signifie pas pollution mais redressement économique. Cela explique que contrairement au XIXᵉ siècle, ce métier soit considéré comme valorisant alors qu'en réalité, il est le plus éprouvant et reste le plus dangereux.

Publicité pour la Renault 5

Une Renault 5 est stationnée sur une piste d'aéroport, toutes portes ouvertes. Par les deux portières, une file de voyageurs lilliputiens attendent d'embarquer en accédant à une passerelle d'avion, tandis que les bagages sont montés dans le coffre arrière par un monte-charge. L'affiche suggère ainsi que, comme l'avion, la R5 met le monde à la portée de tous.

Dès 1954, la régie Renault se donne comme objectif de faire de la voiture le symbole de la démocratisation. Pour celà, elle met en place, avec des organismes banquaires, des possibilités de paiements échelonnés.

Il n'empêche que cette expansion reste fragile, car elle repose sur le renouvellement régulier des véhicules par les particuliers, et sur des carburants à bon marché. Cependant, malgré la crise pétrolière de 1973, la voiture individuelle reste solidement ancrée dans les mœurs. La prolifération des voitures engendre des phénomènes de pollution et des dysfonctionnements que l'on ne semble pas être en mesure de résoudre, pour le moment.

Repères chronologiques

La deuxième moitié du XXe siècle est essentiellement celle de la Ve République, donc une période de stabilité institutionnelle alors que se développe un fait de civilisation majeure : la société de consommation. Parallèlement, les conquêtes technologiques connaissent une diffusion rapide.

*L*a IVe République

PAGES 182-183

Pour mémoire

Au lendemain de la guerre, le pays est exangue.

• Entre 1944 et 1945, le Général de Gaulle dirige un gouvernement provisoire. Il adopte un programme très ambitieux pour assurer la reconstruction et la modernisation du pays. Ce programme est poursuivi par les gouvernements de la IVe République.

– Réformes en profondeur : nationalisations de secteurs-clefs, création de la Sécurité sociale, vote accordé aux femmes.

– Reconstruction assurée autour d'une meilleure gestion des ressources d'énergie nationales (charbon, hydro-électricité).

• Néanmoins, de graves difficultés demeurent :
– une pénurie de main-d'œuvre,
– une crise du logement urbain, due aux destructions de la guerre conjuguées à une reprise démographique. L'Etat doit construire vite et à bon marché. Un nouveau type d'habitat s'impose, le H.L.M. le pouvoir politique, faible, ne réussit pas à résoudre les conflits coloniaux (guerre d'Indochine puis d'Algérie).

Etude des documents

Le redressement national

L'esprit de cette affiche est à rapprocher de celle de la page 180 (*Devenez mineur...*). Sous l'influence du Parti Communiste, le « Parti des fusillés », une certaine idéologie ouvriériste se manifeste, par l'exhaltation de l'ouvrier, courageux, entreprenant, grâce à qui le pays a été sauvé, et grâce à qui il sera reconstruit. On se rappelle que le Parti Communiste avait fait partie du gouvernement provisoire du Général de Gaulle et qu'il s'était profondément impliqué dans les grandes réformes décrétées par lui.

Cette affiche qui s'adresse à tous les citoyens incite les travailleurs à poursuivre l'effort entrepris pour redresser l'économie du pays.

L'analyse du document montre que :

• pendant la guerre, la production s'est arrêtée, faute de matières premières et compte tenu du pillage opéré par l'armée occupante.

• le matériel a été très touché alors que l'infrastructure dont les dégâts ont été très spectaculaires, a mieux résisté.

• les premiers efforts ont porté sur la production d'énergie de matières premières et sur les industries d'équipement.

Un immeuble parisien en 1960

Ce célèbre montage de Robert Doisneau synthétise la crise du logement, avant les constructions des grands ensembles autour de Paris.

Dans cet immeuble, on est frappé par la forte densité d'occupation : douze familles y habitent (contre huit dans l'immeuble de 1847 de la p. 122). Cette évolution explique l'exiguïté des logements dont souffrent les familles nombreuses (voir le jeune père avec ses trois filles dans un des trois appartements mansardés).

Par contre, on retrouve la même ségrégation sociale verticale : au rez-de-chaussée la concierge, des personnes âgées, au premier étage les milieux aisés, les classes moyennes aux deuxième et troisième étages, sous les toits les plus démunis.

A la fin des années 50, on commence à construire à la périphérie des villes, de grands ensembles d'immeubles collectifs : Sarcelles au nord de Paris, Massy et Antony au sud... Le H.L.M. est né. Il permet de résoudre la crise du logement et de résorber les terribles « bidonvilles » qui avaient proliféré, entre-temps, dans la banlieue.

_L_a Ve _République_

PAGES 184-185

Pour mémoire

> • Le Général de Gaulle fonde une nouvelle constitution : celle de la Ve République, encore en vigueur aujourd'hui.
>
> • La décolonisation occupe la période 1945-1962. C'est le Général de Gaulle qui met au point une politique cohérente : il offre aux colonies un plan d'autodétermination et met fin à la guerre d'Algérie. Il permet à ce pays d'accéder à l'indépendance ; des milliers de français d'Algérie ont alors le sentiment d'être arrachés à leur terre et doivent être rapatriés.
>
> • Les années 60 connaissent une expansion remarquable. À partir de 1973, la croissance est freinée par les nouvelles conditions de vente imposées par les Pays Exportateurs de Pétrole (O.P.E.P.).
>
> Les innovations technologiques changent le cadre de vie, les perspectives de production industrielle et de recherche.

Étude des documents

La télévision

Bien que mise au point dès 1936, en France et en Grande-Bretagne, la télévision ne se diffuse pas rapidement. Il faut attendre les années 60 pour voir les ventes des postes augmenter en France et ailleurs. La généralisation de la T.V. est apparue comme un signe de l'élévation du niveau de vie.

En 1958, les postes étaient encore rares. Il y avait des téléclubs dont on affichait le programme. En voici un :

> 19 h : *Nos amis les bêtes, Les aventures de Rintintin, Circus Boy.*
> 21 h 30 : *Robert Oppenheimer, père de la bombe atomique, condamne son invention.*
> 22 h 30 : *Hitchcock et son film : L'engrenage.*

À cette époque, une seule chaîne fonctionne, le soir. Petit à petit, les programmes occuperont l'essentiel de la journée. Des émissions sont créées qui remportent un vif succès : des reportages comme *Cinq colonnes à la une*, des émissions historiques comme *La caméra explore le temps*, ou encore des romans télévisés comme *Le chevalier de Maison rouge* d'après Alexandre Dumas. Claude Santelli présente des émissions enfantines (les principaux livres de la Comtesse de Ségur, entre autres) de façon inégalée. Enfin la télévision devient un grand moyen de communication que les hommes politiques ne refusent pas d'employer : les conférences de presse du Général de Gaulle, dans ce domaine, sont restées célèbres.

La consommation d'énergie en France

L'exceptionnelle croissance économique que l'on a enregistrée entre 1946 et 1974 a entraîné des bouleversements radicaux dans notre mode de vie et dans la composition de notre société. Elle s'accompagne en particulier d'une croissance quasi exponentielle de notre consommation d'énergie. La concentration urbaine, la révolution des transports en faveur de la voiture individuelle, la diffusion généralisée du confort ménager ont entraîné une formidable croissance de nos besoins en produits pétroliers, multipliés par neuf entre 1950 et 1972, tandis que la consommation d'électricité suivait à un rythme presque aussi rapide.

La satisfaction de ces besoins n'a pas posé de problèmes jusqu'en 1960, la demande a été largement assurée par nos propres ressources (charbon, électricité). Il a fallu accepter très vite d'importer des volumes chaque année plus importants de pétrole brut. Ces importations se sont faites sans douleur jusqu'en 1973, date charnière marquée par la reprise des gisements par les nations pétrolières. Celles-ci n'acceptaient plus désormais les prix dérisoires qu'on leur offrait.

Le réveil fut donc brutal ; d'autant qu'à ce premier coup succédèrent de nouvelles augmentations qui portèrent le prix de nos importations en 1980 à un niveau treize fois supérieur à celui de 1972.

C'est alors seulement que les pays industrialisés réalisèrent l'absurdité de leur dépendance vis-à-vis d'une seule source d'énergie, importée il est vrai, jusque-là à bas prix. Beaucoup commencèrent à s'interroger sur ces types de croissance et de concentration urbaine générateurs de gaspillage énergétique.

La France s'est donc lancée, trop timidement peut-être, dans une politique de transfert et d'économies d'énergie. Le programme électronucléaire établi en 1974 demeure en place pour l'essentiel, mais beaucoup souhaitent que le plus gros effort soit porté sur les énergies nouvelles (solaire, géothermie). La consommation d'énergie commence à diminuer, eu égard à tous les efforts réalisés en matière d'économie d'énergie, mais celle de carburants automobiles se maintient, preuve, s'il en est besoin, que la voiture automobile demeure pour les Français l'élément primordial du genre de vie contemporain.

*L*es grands chantiers

PAGES 186-187

Pour mémoire

• La Reconstruction, sous la IVe République s'est pour-suivie par une politique de grands travaux, avec la Ve Républi-que. Le paysage français s'en est trouvé transformé : Z.U.P., autoroutes, centrales nucléaires, tours de bureaux, hypermar-chés, centres omnisports, rues piétonnes… Le maître-mot est « l'aménagement du territoire » car il s'agit de programmer tous ces chantiers et de les organiser. La campagne n'est pas épargnée : sillonnée d'autoroutes, remembrée, investie par les stations touristiques, reliée à la ville par la télévision omni-présente.

• En même temps, la disparition du mode de vie antérieur et de plusieurs pans de l'économie traditionnelle (mines, sidé-rurgie, textile…), multiplient les friches industrielles, dès les années 1960. D'où la prise de conscience d'un patrimoine à conserver et à valoriser. La crise économique conduit à préfé-rer les opérations de réhabilitation ; le goût pour la préserva-tion du patrimoine conduit également à soigner un patrimoine même modeste : ravalements, fleurissements, secteurs proté-gés permettent la toilette des villes.

Étude des documents

Le quartier de la Défense

La croissance économique de l'après-guerre provoque un important besoin de bureaux pour les sièges sociaux des entreprises françaises et étrangères. La construction d'un ensemble entièrement nouveau est décidée autour du rond-point de la Défense.

Trente ans de travaux seront nécessaires :

1958 : inauguration du C.N.I.T. (Centre National des Industries et des Techniques) ;

1970 : le réseau R.E.R. atteint la Défense. La hauteur autorisée des tours passe à 200 m ;

1989 : inauguration de la Grande Arche.

Le quartier compte 2 200 000 m² de bureaux pour 100 000 employés. Six cent cinquante sociétés y ont installé leurs sièges. Vingt mille logements ont été installés pour 30 000 résidents. Il y a aussi de nombreux commerçants et restaurants.

Le musée d'Orsay

La gare d'Orsay a été construite afin que toutes les grandes compagnies de chemin de fer aient leur gare terminus en centre ville. Cette gare était réservée au service des voyageurs et devait revêtir un aspect confortable et luxueux. Tout l'espace industriel de la construction a été masqué à l'extérieur par une imposante façade éclectique et à l'intérieur par un second plafond garni de caissons de staff.

Les progrès de la mécanisation rendirent très vite difficile l'exploitation de la gare et le trafic des grandes lignes fut interrompu en 1939. En 1973, sous le gouvernement de G. Pompidou, il était envisagé d'implanter dans la gare d'Orsay un musée où tous les arts de la seconde moitié du XIXᵉ siècle seraient confrontés. Le projet est définitivement pris en compte et soutenu par Giscard d'Estaing, puis l'importance en est confirmée par Mitterrand en 1981.

Une nouvelle architecture s'installe dans la nef, la voûte est dégagée, des salles de musée s'ouvrent de part et d'autre d'un grand passage central. Au sommet de la gare, de grandes galeries profitent de l'éclairage naturel zénithal, les salles de réception s'intègrent dans le circuit du musée. Les piliers et poutres de fonte, le décor de stuc sont dégagés, les nouvelles structures laissent partout la trace de l'édifice premier.

Devenu modèle de récupération d'un patrimoine en danger, le musée d'Orsay est aujourd'hui l'un des pôles d'attractions majeurs de Paris.

Les artistes, témoins de leur temps

PAGES 188-189

Pour mémoire

• La première moitié du XXe siècle est dominée par le mouvement cubiste. Désormais les peintres jouissent d'une totale liberté d'expression : ils jouent avec les couleurs, les formes, la surface d'un tableau. Les objets représentés peuvent être déformés, torturés, ils demeurent toujours reconnaissables.

• Le cinéma, celui qu'on appelle désormais le septième art, se modernise avec la généralisation de la couleur et de la projection sur grand écran. Chaque pays a son école : le néo-réalisme en Italie, la comédie musicale et le film à suspens font recette aux Etats-Unis. En France, le cinéma vit sur sa lancée de l'avant-guerre. L'œuvre de Jacques Tati innove au sens où le burlesque est entièrement inspiré de l'analyse de situations absurdes qu'engendre la société moderne. C'est entre 1958 et 1959 que les méthodes de travail évoluent : l'usage des caméras ultra-légères, l'abandon des trucages permettent, en même temps qu'une réflexion critique, de faire évoluer le cinéma vers le courant du cinéma-vérité et celui de la nouvelle vague. Les cinéastes revendiquent une écriture plus souple, plus personnelle et le titre d'auteurs de films.

Étude des documents

Le plafond de l'Opéra

La mélancolie, la joie de vivre et l'irréalisme poétique s'entremêlent dans l'œuvre de Marc Chagall. L'artiste, dans un langage qui lui est propre, allie le spirituel et le temporel. Les couleurs éclatent, créant un univers onirique où se côtoient des amoureux, des images de Vitebsk sa ville natale, des personnages en lévitation et un étrange bestiaire symbolique. Les œuvres de Chagall nous séduisent par leur éternelle jeunesse et par la puissance avec laquelle elles invitent à l'évasion.

A la cérémonie inaugurant la décoration du plafond de l'Opéra, il a expliqué : *J'ai voulu placer là-haut, comme en un bouquet, les rêves et les créations des interprètes et des musiciens. J'ai voulu chanter comme un oiseau, sans théorie ni méthode.*

Mon oncle

Sur cette image, tout semble au premier abord bien rationnel, ordonné et appartenir à un milieu social de privilégiés.

Mais quand on observe avec plus de précision, on se rend compte que tout va de travers : les quatre personnages qui semblent prendre ensemble le thé, se tournent le dos, sur la table le thé est servi, on voit se hérisser une forêt de cuillères qui ressemblent à s'y méprendre à des accessoires de laboratoire.

Enfin, l'un des deux hommes veut utiliser le jet d'eau pour remplir un pot à eau, malheureusement pour lui le jet d'eau est orienté dans le mauvais sens, ce qui le couvre de ridicule.

Par cette scène, Jacques Tati a voulu se moquer des gadgets ultra-sophistiqués que l'homme multiplie pour remplacer des gestes si simples. C'est une critique souriante de la société de consommation, où l'objet est roi et le rêve absent.

Le coin du savant (p. 190)
La galerie des ancêtres (p. 191)

Ces pages sont à lire en classe et à la maison.

Les thèmes récréatifs tournent autour de la conquête de l'espace, qui fait déjà partie de la « Préhistoire » des enfants, et autour des thèmes écologiques qui sont du domaine de l'éducation civique.

Les personnalités de De Gaulle et Mitterrand sont sans doute incontournables.

Table des matières

Achevé d'imprimer
sur les Presses de l'imprimerie Campin
Tournai – Belgique

N° éditeur : 97/150
Dépôt légal : Mai 1997

Photo couverture : © Stefan Meyer
Conception couverture : KUBE